KNOCK OU LE TRIOMPHE DE LA MÉDECINE

Rédacteur : Jan A. Verschoor
Illustrations: Stinne Teglhus

Les structures et le vocabulaire de ce livre sont fondés sur une comparaison des ouvrages suivants:
Börje Schlyter: Centrala Ordförrådet i Franskan
Albert Raasch: Das VHS-Zertifikat für Französisch
Etudes Françaises – Echanges
Sten-Gunnar Hellström, Sven G. Johansson: On parle français
Ulla Brodow, Thérèse Durand: On y va

Édition abrégée mais
non simplifiée!

ISBN 87-11-07964-9
Imprimé au Danemark par
Grafisk Institut A/S
Copenhague

JULES ROMAINS (1885-1972)

Après avoir rempli les fonctions de professeur de lycée, Jules Romains (pseudonyme de Louis Farigoule) se consacre entièrement à la littérature.

Le thème central de ses ouvrages est *l'unanimisme,* théorie que l'auteur a développée dans ses ouvrages *L'âme des hommes* et *La vie unanime.* Selon cette théorie l'homme fait partie d'une collectivité, d'un *«unanime»* (par exemple une ville, un village, un pays, une église, un parti politique, etc.). Ce groupe possède une âme commune, ses représentants ont des rapports nombreux et subtils, mais le groupe est souvent indolent et sans initiatives. Il faut des «animateurs» pour le transformer en un groupe énergique. Ces animateurs peuvent lancer des idées fécondes et excellentes dans la foule, mais aussi des idées illusoires et même dangereuses, comme c'est le cas dans la pièce *KNOCK OU LE TRIOMPHE DE LA MEDECINE.*

Parmi les autres ouvrages de Jules Romains, il faut citer entre autres: poésie : *Odes et prières;* théâtre : *Cromedeyre-le-vieil* (avec les souvenirs d'cnfance); *Monsieur le Trouhadec saisi par la débauche; Le dictateur* (tragédie du chef dans la démocratie); *Volpone; Jean Musse; Donogoo; Le roi masqué;* roman : *Mort de quelqu'un; Les copains; Psyché* (trilogie); les 27 volumes qui décrivent l'histoire d'une génération et d'une époque (1908-1933) : *Les hommes de bonne volonté.*

Aucune modification n'a été apportée au texte, mais comme le vocabulaire du niveau C ne doit pas présenter trop de difficultés, certaines coupures ont été pratiquées. Il s'agit donc d'une édition abrégée et non simplifiée.

* indique une omission dans le texte original

TABLE DES MATIERES

Personnages

KNOCK
LE DOCTEUR PARPALAID
MOUSQUET
BERNARD
LE TAMBOUR DE VILLE
PREMIER GARS
DEUXIEME GARS
SCIPION
JEAN
MADAME PARPALAID
MADAME REMY
LA DAME EN NOIR
LA DAME EN VIOLET
LA BONNE
VOIX DE MARIETTE*

Dans KNOCK OU LE TRIOMPHE DE LA MEDECINE, le personnage principal, le docteur Knock, a pour devise : «Les gens bien portants sont des malades qui s'ignorent». C'est lui l'«animateur» qui, en mettant en pratique cette devise, retire de son indolence tout un groupe, tout un «unanime» (selon la théorie de *l'unanimisme*) qu'est le village de Saint-Maurice. Knock, successeur du docteur Parpalaid, inspire aux habitants la crainte des maladies et de la mort. Il est donc un animateur avec des idées plutôt illusoires et dangereuses, qui lui ont été dictées par l'égoïsme et l'intérêt.

Les habitants du village cependant lui sont reconnaissants d'avoir maintenant un médecin «capable». C'est que malgré tout les hommes veulent être trompés.

Mais, finalement, Knock en vient à douter de sa propre santé et prouve ainsi la vérité du proverbe «A trompeur, trompeur et demi».

ACTE I

(L'action se passe à l'intérieur ou autour d'une automobile très ancienne, type 1900-1902. Carrosserie énorme. * Petit *capot* en forme de *chaufferette*.
Pendant une partie de l'acte, l'auto se déplace. 5
On part des *abords* d'une gare pour s'élever ensuite le long d'une route de montagne.)

Scène unique

KNOCK, LE DOCTEUR PARPALAID, MADAME PARPALAID, JEAN 10

LE DOCTEUR PARPALAID

Tous vos bagages sont là, mon cher *confrère?*

KNOCK

Tous, docteur Parpalaid.

LE DOCTEUR 15

Jean les *casera* près de lui. Nous tiendrons très bien tous les trois à l'arrière de la voiture. La carrosserie en est si *spacieuse*, les *strapontins* si confortables! Ah! ce n'est pas la construction *étriquée* de maintenant!

KNOCK 20

(à Jean, au moment où il place la caisse.)

Je vous recommande cette caisse. J'y ai *logé* quelques appareils qui sont fragiles.

(Jean commence à *empiler* les bagages de Knock.)

---

un capot, une chaufferette, un strapontin, voir illustration page 8
les abords (m.), les environs (m.)
le confrère, le collègue
caser, ranger
spacieux, grand; vaste
étriqué, étroit; petit
loger, mettre; installer
empiler, mettre en pile, en tas

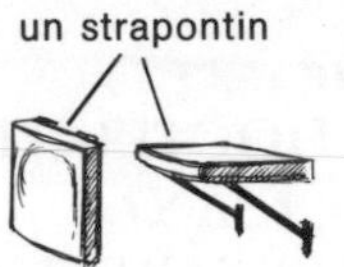

MADAME PARPALAID
Voilà une torpédo que je regretterais longtemps, si nous faisions la *sottise* de la vendre.
(Knock regarde le *véhicule* avec surprise.)
5 KNOCK
Oui, oui.
* LE DOCTEUR
Voyez comme vos valises se logent facilement. Jean ne sera pas gêné du tout. Il est même dommage que
10 vous n'en ayez pas plus. *
KNOCK
Saint-Maurice est loin?

---

la sottise, la folie
le véhicule, la voiture

LE DOCTEUR
Onze kilomètres. Notons que cette distance du chemin de fer est excellente pour la *fidélité* de la clientèle.*
KNOCK 5
Il n'y a donc pas de diligence?
LE DOCTEUR
Une *guimbarde* si *lamentable* qu'elle donne envie de faire le chemin à pied.
MADAME PARPALAID 10
Ici on *ne* peut *guère se passer d'*automobile.
LE DOCTEUR
Surtout dans la *profession.*
(Knock reste * *impassible.)*
JEAN (au Docteur :) 15
Je mets en marche?
LE DOCTEUR
Oui, commencez à mettre en marche, mon ami.
* MADAME PARPALAID (à Knock :)
Sur le *parcours* le paysage est délicieux. * (Elle monte 20
en voiture. A son mari.) Tu prends le strapontin, n'est-ce pas? Le docteur Knock se placera près de moi pour bien jouir de la vue ... (Knock s'assied à la gauche de Mme Parpalaid.)

---

la fidélité, la constance; l'attachement (m.)
une guimbarde, une vieille voiture; un vieux véhicule
lamentable, déplorable; triste
ne ... guère, ne ... presque jamais; rarement
se passer de, vivre sans
la profession, le métier; la fonction
impassible, calme; froid
le parcours, le trajet

LE DOCTEUR

La carrosserie est assez vaste pour que trois personnes se sentent à l'aise sur la *banquette* d'arrière. Mais il faut pouvoir *s'étaler* lorsqu'on *contemple* un panorama. (Il
5 s'approche de Jean.) Tout va bien? L'injection d'essence est terminée? Dans les deux cylindres? Avez-vous pensé à essuyer un peu les *bougies?* *Enveloppez bien le carburateur. * (Pendant qu'il revient vers l'arrière.) Parfait! parfait! (Il monte en voiture.)
10 Je m'assois – pardon, cher confrère – je m'assois sur ce large strapontin, qui est plutôt un *fauteuil pliant.*

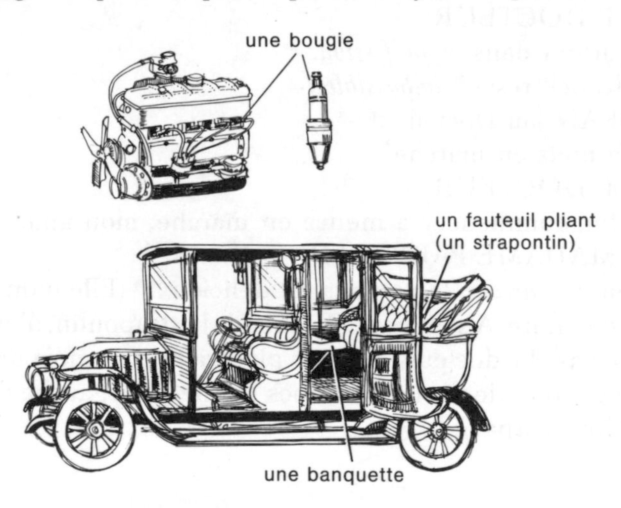

MADAME PARPALAID

La route ne cesse de s'élever jusqu'à Saint-Maurice. A pied, avec tous ces bagages, le trajet serait terrible. En
15 auto, c'est un enchantement.

---

s'étaler, s'étendre
contempler, considérer attentivement

* LE DOCTEUR
Juste! Juste! (On entend une explosion.) Ecoutez, mon cher confrère, comme le moteur part bien. A peine quelques tours de *manivelle* pour appeler les gaz, et *tenez* ... une explosion ... une autre ... voilà! voilà! ... Nous marchons. 5

(Jean s'installe. Le véhicule *s'ébranle*. Le paysage peu à peu *se déroule.)*
LE DOCTEUR (après quelques instants de silence.)
Croyez-m'en, mon cher *successeur!* *Car vous êtes dès cet instant mon successeur! Vous avez fait une bonne affaire. Oui, dès cet instant ma clientèle est à vous. Si même, le long de la route, quelque patient, me reconnaissant au passage, malgré la vitesse, réclame l'*assistance*, je m'efface en déclarant : «Vous vous trompez, monsieur. Voici le médecin du pays.» (Il désigne Knock.) * Mais vous avez eu de la chance de tomber sur un homme qui voulait s'offrir un *coup de tête.* 10 15
MADAME PARPALAID
Mon mari s'était juré de finir sa carrière dans une grande ville. 20

---

tenez, ici : voilà
s'ébranler, se mettre en marche, en mouvement
se dérouler, s'étaler sous le regard
un successeur, une personne qui prend la place d'une autre dans une fonction
l'assistance (f.), le secours
un coup de tête, une folie; une sottise

LE DOCTEUR
* *Vanité* un peu ridicule, n'est-ce pas? Je rêvais de Paris, je me contenterai de Lyon.
MADAME PARPALAID
5 Au lieu d'*achever* tranquillement de faire fortune ici!
(Knock, tour à tour, les observe, médite, donne un coup d'œil au paysage.)
LE DOCTEUR
Ne vous moquez pas trop de moi, mon cher confrère.
10 C'est grâce à cette *toquade* que vous avez ma clientèle pour un morceau de pain.
KNOCK
Vous trouvez?
LE DOCTEUR
15 C'*est l'évidence même.* * J'ai beaucoup aimé * votre façon de traiter par correspondance et de ne venir sur place qu'avec le *marché* en poche. Cela m'a semblé * américain. Mais je puis bien vous féliciter de l'*aubaine:* car c'en est une. Une clientèle égale * ...
20 MADAME PARPALAID
Pas de concurrent.
LE DOCTEUR
Un pharmacien qui ne sort jamais de son rôle.
MADAME PARPALAID
25 Aucune occasion de dépense.

---

la vanité, l'orgueil (m.)
achever, finir; terminer
la toquade, le coup de tête
être l'évidence même, être très évident
le marché, ici : le contrat
une aubaine, un profit inattendu, inespéré

LE DOCTEUR
Pas une seule *distraction coûteuse.*
MADAME PARPALAID
Dans six mois, vous aurez économisé le double de ce
que vous devez à mon mari. 5
LE DOCTEUR
* Ah! sans les rhumatismes de ma femme * ...
KNOCK
Mme Parpalaid est *rhumatisante?*
MADAME PARPALAID 10
Hélas!
* KNOCK
Y a-t-il beaucoup de rhumatisants dans le pays?
LE DOCTEUR
Dites, mon cher confrère, qu'il n'y a que des rhumati- 15
sants.
KNOCK
Voilà qui me semble d'un grand intérêt.
LE DOCTEUR
Oui, pour qui voudrait étudier le rhumatisme. 20
KNOCK (doucement.)
Je pensais à la clientèle.
LE DOCTEUR
Ah! pour ça, non. Les gens d'ici n'auraient pas plus l'i-
dée d'aller chez le médecin pour un rhumatisme, que 25
vous n'iriez chez le curé pour faire pleuvoir.
KNOCK
Mais ... c'est *fâcheux.*

---

la distraction, l'amusement (m.)
coûteux, qui coûte cher
rhumatisant, atteint de rhumatismes
fâcheux, le contraire de «agréable»

MADAME PARPALAID
Regardez, docteur, comme le point de vue est *ravissant*. On se croirait en Suisse. *
JEAN (à l'oreille du docteur Parpalaid.)
5 Monsieur, monsieur. Il y a quelque chose qui ne marche pas. Il faut que je *démonte* le *tuyau d'essence*.

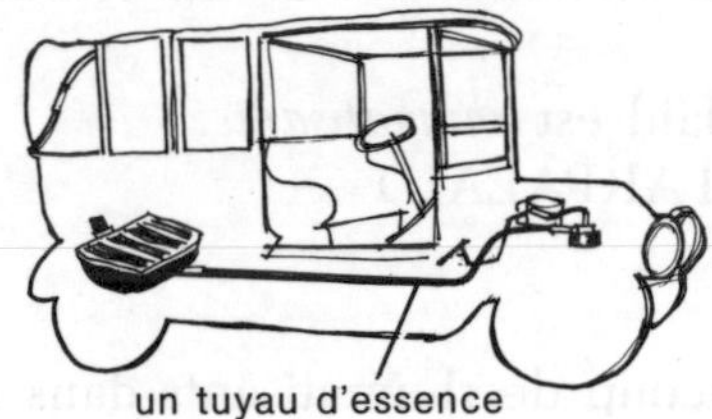
un tuyau d'essence

LE DOCTEUR (à Jean.)
Bien, bien! ... (Aux autres.) Précisément, je voulais vous proposer un petit arrêt ici. *
10 * KNOCK
S'il n'y a rien à faire du côté des rhumatismes, on doit *se rattraper* avec les pneumonies et pleurésies?
LE DOCTEUR *
Elles sont rares. Le climat est rude, vous le savez. Tous
15 les nouveau-nés *chétifs* meurent dans les six premiers mois, sans que le médecin ait à *intervenir, bien entendu*. *Il nous reste ... d'abord la *grippe*. Pas la grippe banale qui ne les inquiète en aucune façon * ! Non, je pense

---

ravissant, très joli
démonter, le contraire de «attacher», de fixer
se rattraper, réparer une erreur
chétif, de faible constitution; faible
intervenir, entrer en action (f.)
bien entendu, naturellement
la grippe, l'influenza (f.)

aux grandes épidémies *mondiales* de grippe.
KNOCK
Mais ça, dites donc. * S'il faut que j'attende la prochaine épidémie mondiale! ...
LE DOCTEUR 5
Moi qui vous parle, j'en ai vu deux : celle de 89-90 et celle de 1918.
MADAME PARPALAID
En 1918, nous avons eu ici une très grosse *mortalité,* plus * que dans les grandes villes. (A son mari.) N'est-ce pas? Tu avais comparé les chiffres. 10
LE DOCTEUR
* Nous laissions derrière nous quatre-vingt-trois départements.
KNOCK 15
Ils s'étaient fait soigner?
LE DOCTEUR
Oui, surtout vers la fin.
MADAME PARPALAID
Et nous avons eu de très belles rentrées à la Saint-Michel. (Jean se couche sous la voiture.) 20
KNOCK
* Mais ... quel est le sens de cette expression? *
LE DOCTEUR *
* La Saint-Michel est une des dates les plus connues du calendrier. Elle correspond à la fin septembre. 25
KNOCK (changeant de ton.)
Et nous sommes au début d'octobre. * Vous, au moins, vous avez su choisir votre moment pour vendre. * Mais, voyons! si quelqu'un vient vous trouver pour 30

---

mondial, relatif à la terre entière; international
la mortalité, le nombre de morts

une simple *consultation,* il vous paye bien *séance tenante?*
LE DOCTEUR
Non, à la Saint-Michel! ... C'est l'usage.
5 * MADAME PARPALAID
D'ailleurs, les gens viennent presque toujours pour une seule consultation. * Le docteur est comme tous les *débutants.* Il se fait des illusions.
LE DOCTEUR (mettant la main sur le bras de
10 Knock.)
Croyez-moi, mon cher confrère. Vous avez ici le meilleur type de clientèle : celle qui vous laisse indépendant.
KNOCK
15 Indépendant? Vous *en avez de bonnes!*
LE DOCTEUR
Je m'explique! Je veux dire que vous n'*êtes* pas *à la merci de* quelques clients. *
KNOCK
20 En d'autres termes, j'aurais dû apporter une provision d'*asticots* et une *canne à pêche.* Mais peut-être trouve-t-on ça là-haut?

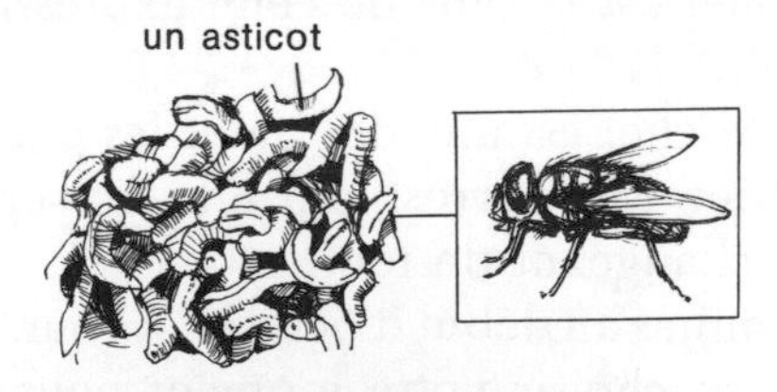

---

une consultation, ici : l'examen (m.) d'un malade par un médecin
séance tenante, immédiatement et sans retard
un débutant, quelqu'un qui fait ses premiers pas dans une carrière
en avoir de bonnes, plaisanter
être à la merci de, dépendre entièrement du bon plaisir de

(Il fait quelques pas, médite, s'approche de la guimbarde, la considère, puis se retournant à demi.) La situation commence à devenir *limpide.* Mon cher confrère, vous m'avez cédé – pour quelques billets de mille, que je vous dois encore – une clientèle * *assimilable à* cette voiture * dont on pourrait dire qu'à dix-neuf francs elle ne serait pas chère, mais qu'à vingt-cinq elle est au-dessus de son prix. * Tenez! Comme j'ai à faire les choses *largement,* je vous en donne trente.

LE DOCTEUR
Trente francs? De ma torpédo? Je ne la lâcherais pas pour six mille.

KNOCK (l'air *navré.)*
Je m'y attendais! (Il contemple de nouveau la guimbarde.) Je ne pourrai donc pas acheter cette voiture.

LE DOCTEUR
Si, au moins, vous me faisiez une *offre* sérieuse!

---

limpide, clair
assimilable à, semblable à
largement, sans compter
navré, triste
une offre, le fait d'offrir

KNOCK
C'est dommage. * Quant à votre clientèle, j'y renoncerais avec la même absence d'*amertume* s'il en était temps encore.

5 LE DOCTEUR
Laissez-moi vous dire, mon cher confrère, que vous êtes victime ... d'une fausse impression. * Enfin, je n'ai pas coutume de *geindre,* et quand je suis *roulé,* je ne *m'en prends* qu'*à* moi.

10 MADAME PARPALAID
Roulé! Proteste, mon ami. Proteste.

LE DOCTEUR
Je voudrais surtout *détromper* le docteur Knock.

KNOCK
15 Pour vos *échéances,* elles ont le tort d'être *trimestrielles* dans un climat où le client *est annuel.* Il faudra corriger ça. De toute façon, ne *vous tourmentez* pas à mon propos. Je déteste avoir des *dettes.* Mais c'est *en somme* beaucoup moins douloureux qu'un * simple *furoncle* à
20 la *fesse.*

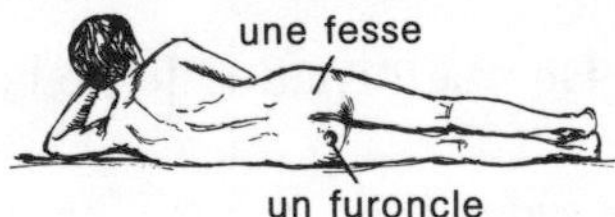

---

l'amertume (f.), le dégoût
geindre, gémir; se plaindre
rouler, ici : duper, tromber
s'en prendre à, s'attaquer à, en rendant responsable
détromper, le contraire de tromper
une échéance, la date à laquelle on peut exiger l'exécution d'une obligation
trimestriel, ici : ont une durée de trois mois
être annuel, ici : payer chaque année
se tourmenter, se faire des soucis
une dette, ce qu'une personne doit à une autre
en somme, tout bien considéré

MADAME PARPALAID
Comment! Vous ne voulez pas nous payer? aux dates convenues?
KNOCK
Je brûle de vous payer, madame, mais je n'ai aucune autorité sur l'almanach. * 5
* LE DOCTEUR
Mais vous avez bien des réserves?
KNOCK
Aucune. Je vis de mon travail. Ou plutôt, j'*ai hâte d'*en vivre. Et je *déplore* d'autant plus le caractère *mythique* de la clientèle que vous me vendez, que je comptais lui *appliquer* des méthodes entièrement neuves. * 10
LE DOCTEUR
* La *médecine* est un riche *terroir.* Mais les moissons n'y lèvent pas toutes seules. Vos rêves de jeunesse vous ont un peu *leurré.* 15
KNOCK
Votre propos, mon cher confrère, *fourmille d'inexactitudes.* D'abord, j'ai quarante ans. Mes rêves, si j'en ai, ne sont pas des rêves de jeunesse. 20
LE DOCTOR
Soit. Mais vous n'avez jamais exercé.
KNOCK
Autre erreur. 25

---

avoir hâte de, se dépêcher de
déplorer, regretter beaucoup
mythique, imaginaire; le contraire de réel
appliquer à, employer pour
la médecine, l'art (m.) de soigner les maladies de l'homme
le terroir, le terrain
leurrer, tromper
fourmiller de, être rempli d'un grand nombre de
l'inexactitude (f.), la faute; l'erreur (f.)

LE DOCTEUR
Comment? Ne m'avez-vous pas dit que vous veniez de passer votre *thèse* l'été dernier?
KNOCK
5 Oui, trente-deux pages : * SUR LES PRETENDUS ETATS DE SANTE, avec cette *épigraphe :* *«Les gens bien portants sont des malades qui s'ignorent».
LE DOCTEUR
Nous sommes d'accord, mon cher confrère.
10 KNOCK
Sur le *fond* de ma théorie?
LE DOCTEUR
Non, sur le fait que vous êtes un débutant.
KNOCK
15 Pardon! Mes études sont, en effet, toutes récentes. Mais mon début dans la pratique de la médecine date de vingt ans.
LE DOCTEUR
Quoi? Vous étiez officier de santé? Depuis le temps
20 qu'il n'en reste plus!
KNOCK
Non, j'étais *bachelier.*
MADAME PARPALAID
Il n'y a jamais eu de bacheliers de santé.
25 KNOCK
Bachelier *ès* lettres, madame. *

---

une thèse, un ouvrage présenté pour obtenir le grade de docteur, pour obtenir le doctorat
une épigraphe, une citation
le fond, ici : le thème
un bachelier, celui qui a passé son baccalauréat
ès, dans les; en matière de

LE DOCTEUR
Je ne vous comprends pas.
KNOCK
C'est pourtant simple. Il y a une *vingtaine d'*années, ayant dû renoncer à l'étude des langues romanes, j'étais vendeur aux «Dames de France» de Marseille, rayon des *cravates*.

Je perds mon emploi. En me promenant sur le port, je vois annoncé qu'un vapeur de 1700 tonnes à *destination* des Indes demande un médecin, le *grade* de docteur n'étant pas exigé. *Je me suis présenté. Comme j'ai horreur des situations fausses, j'ai déclaré en entrant : «Messieurs, je pourrais vous dire que je suis docteur, mais je ne suis pas docteur. Et je vous avouerai même quelque chose de plus grave : je ne sais pas encore quel sera le sujet de ma thèse». Ils me répondent qu'ils ne *tiennent* pas *au* titre de docteur et qu'ils *se fichent* complètement *de* mon sujet de thèse. Je *réplique* aussitôt : «Bien que n'étant pas docteur, je

---

une vingtaine de, environ vingt
une destination, le lieu où on doit aller
le grade, le degré d'une hiérarchie
tenir à, vouloir absolument
se ficher de, se moquer de
répliquer, répondre vivement en s'opposant

désire, pour des raisons de prestige et de discipline, qu'on m'appelle docteur à bord». Ils me disent que c'est tout naturel. Mais je n'en continue pas moins à leur expliquer pendant un quart d'heure les raisons
5 qui me font vaincre mes scrupules et réclamer cette *appellation* de docteur à laquelle, en conscience, je n'ai pas droit. Si bien qu'il nous est resté à peine trois minutes pour régler la question des *honoraires*.

LE DOCTEUR

10 Mais vous n'aviez réellement aucune connaissance?

KNOCK

Entendons-nous! Depuis mon *enfance*, j'ai toujours lu avec passion les annonces médicales et pharmaceutiques des journaux, ainsi que les prospectus *intitulés*
15 «mode d'emploi» que je trouvais *enroulés* autour des boîtes de *pilules* et des *flacons* de sirop qu'achetaient mes parents.

Ces textes m'ont *rendu familier de bonne heure avec* le style de la profession. *Je puis dire qu'à douze ans j'a-
20 vais déjà un sentiment médical correct. Ma méthode actuelle en est sortie.

---

l'appellation (f.), le nom
les honoraires (m.), le salaire
l'enfance (f.), la première période de la vie, jusqu'à 11/12 ans
intitulé, ayant pour titre
enrouler, rouler
rendre familier avec, habituer à
de bonne heure, tôt

LE DOCTEUR
Vous avez une méthode? Je serais curieux de la connaître.
KNOCK
Je ne fais pas de propagande. D'ailleurs, il n'y a que 5
les résultats qui comptent. Aujourd'hui, de votre propre *aveu,* vous me livrez une clientèle *nulle.*
LE DOCTEUR
Nulle ... pardon! pardon!
KNOCK 10
Revenez voir dans un an ce que j'en aurai fait. *
JEAN
Monsieur, monsieur ... (Le docteur Parpalaid va vers lui.) Je crois que je ferais bien de démonter aussi le carburateur. 15
LE DOCTEUR
Faites, faites. (Il revient.) Comme notre conversation se prolonge, j'ai dit à ce garçon d'*effectuer* son nettoyage mensuel de carburateur.
MADAME PARPALAID 20
Mais, quand vous avez été sur votre bateau, comment vous en êtes-vous tiré?
KNOCK
Les deux dernières nuits avant de *m'embarquer,* je les ai passées à réfléchir. Mes six mois de pratique à bord 25
m'ont servi à *vérifier* mes *conceptions.* C'est un peu la façon dont on procède dans les hôpitaux.

---

l'aveu (m.), l'action (f.) d'avouer
nul, ici : qui n'existe pas
effectuer, faire; exécuter
s'embarquer, monter à bord d'un bateau
vérifier, contrôler
une conception, une idée; une opinion

MADAME PARPALAID
Vous aviez beaucoup de gens à soigner?
KNOCK
L'*équipage* et sept *passagers* de condition très modeste.
5 Trente-cinq personnes en tout.
MADAME PARPALAID
C'est un chiffre.
LE DOCTEUR
Et vous avez eu des morts?
10 KNOCK
Aucune. C'était d'ailleurs contraire à mes principes.
Je *suis partisan de* la diminution de la mortalité.
LE DOCTEUR
Comme nous tous.
15 KNOCK
Vous aussi? *Tiens!* *J'estime que * nous devons travailler à la conservation du malade.
MADAME PARPALAID
Il y a du vrai dans ce que dit le docteur.
20 LE DOCTEUR
Et des malades, vous en avez eu beaucoup!
KNOCK
Trente-cinq.
LE DOCTEUR
25 Tout le monde alors?
KNOCK
Oui, tout le monde.

---

l'équipage, le personnel à bord d'un navire
un passager, ici : une personne transportée à bord d'un bateau
être partisan de, être pour
tiens!, une expression qui marque l'étonnement (m.)

MADAME PARPALAID
Mais comment le bateau a-t-il pu marcher?
KNOCK
Un petit *roulement* à établir. (Silence.)
LE DOCTEUR 5
Dites donc, maintenant vous êtes bien réellement docteur? ... Parce qu'ici le titre est exigé, et vous nous causeriez de gros *ennuis* ... Si vous n'étiez pas réellement docteur, il vaudrait mieux nous le confier tout de suite ... 10
KNOCK
Je suis bien réellement et bien doctoralement docteur. Quand j'ai vu mes méthodes confirmées par l'expérience, je n'ai eu qu'une hâte, c'est de les appliquer sur la *terre ferme,* et en grand. Je n'ignorais pas 15 que le doctorat est une formalité *indispensable.*
MADAME PARPALAID
Mais vous nous disiez que vos études étaient toutes récentes?
KNOCK 20
Je n'ai pas pu les commencer dès ce moment-là. Pour vivre, j'ai dû m'occuper quelque temps du commerce des *arachides.*
MADAME PARPALAID
Qu'est-ce que c'est? 25
KNOCK
L'arachide s'appelle aussi *cacahuète.* *J'avais créé un

---

le roulement, ici : le fait qu'on se remplace dans un travail
l'ennui (m.), la difficulté
la terre ferme, le contraire de la mer
indispensable, nécessaire; obligatoire
une arachide, une cacahuète, voir illustration, page 26

office central où les revendeurs venaient *s'approvisionner.* Je serais millionnaire si j'avais continué cela dix ans. Mais c'était *fastidieux.* *Il n'y a de vrai * que la médecine, peut-être aussi la politique, la finance * que
5 je n'ai pas encore essayées.

MADAME PARPALAID

Et vous pensez appliquer vos méthodes ici?

KNOCK

Si je ne le pensais pas, madame, je *prendrais mes jambes*
10 *à mon cou,* et vous ne me *rattraperiez* jamais. Evidemment je préférerais une grande ville.

MADAME PARPALAID (à son mari.)

Toi qui vas à Lyon, ne pourrais-tu pas demander au docteur quelques renseignements sur sa méthode?
15 Cela n'engage à rien.

* KNOCK (au docteur Parpalaid, *après un temps de réflexion.)*

---

un office, un bureau; une agence
s'approvisionner, se fournir en provisions
fastidieux, ennuyeux; fatigant
prendre ses jambes à son cou, se sauver; fuir; s'en aller
rattraper, atteindre; retrouver
après un temps de réflexion, après avoir réfléchi quelque temps

Pour vous être agréable, je vous paye en nature: c'est-à-dire que je vous prends huit jours avec moi et vous *initie à* mes *procédés.*
LE DOCTEUR (piqué.)
Vous plaisantez, mon cher confrère. C'est peut-être vous qui m'écrirez dans huit jours pour me demander conseil. 5
KNOCK
Je n'attendrai pas jusque-là. Je compte bien obtenir de vous aujourd'hui même plusieurs indications très utiles. 10
LE DOCTEUR
Disposez de moi, mon cher confrère.
KNOCK
Est-ce qu'il y a un *tambour de ville,* là-haut? 15

un tambour de ville

LE DOCTEUR
Vous voulez dire un homme qui joue du tambour et qui fait des annonces au public?
KNOCK
Parfaitement. 20

---

initier à, instruire de
un procédé, une méthode employée

LE DOCTEUR
Il y a un tambour de ville. * Les seuls *particuliers* qui *recourent à* lui sont les gens qui ont perdu leur porte-monnaie ou encore quelque marchand * qui *solde* un
5 *déballage de faïence* et de porcelaine.

KNOCK
Bon. Saint-Maurice a combien d'habitants?
LE DOCTEUR
Trois mille cinq cents dans l'*agglomération*, je crois, et
10 près de six mille dans la commune.
KNOCK
Et l'ensemble du canton?
LE DOCTEUR
Le double, au moins.
15 KNOCK
La population est pauvre?
MADAME PARPALAID
Très à l'aise, au contraire, et même riche. Il y a de grosses fermes. Beaucoup de gens vivent de leurs

---

un particulier, une personne privée
recourir à, employer; demander l'aide (f.) de
solder, vendre publiquement
un déballage, une caisse; un paquet
une agglomération, une concentration d'habitants, ville ou village
la population, l'ensemble (m.) des personnes qui habitent une ville, un village, un pays

rentes ou du *revenu* de leurs domaines.
LE DOCTEUR
Terriblement *avares,* d'ailleurs.
KNOCK
Il y a de l'industrie? 5
LE DOCTEUR
Fort peu.
KNOCK
Du commerce?
MADAME PARPALAID 10
Ce ne sont pas les boutiques qui manquent.
KNOCK
Les commerçants sont-ils très absorbés par leurs affaires?
LE DOCTEUR 15
Ma foi, non! Pour la plupart, ce n'est qu'un supplément de revenus, et surtout une façon d'utiliser les *loisirs.*
MADAME PARPALAID
D'ailleurs, pendant que la femme garde la boutique, 20 le mari se promène.
LE DOCTEUR
Ou *réciproquement.*
MADAME PARPALAID
Tu avoueras que c'est plutôt le mari. D'abord, les fem- 25 mes ne sauraient guère où aller. Tandis que pour les hommes il y a la chasse, la pêche, les parties de *quilles;* en hiver le café.

---

le revenu de, ce que rapporte
avare, trop économe
les loisirs, le temps libre
réciproquement, vice versa, inversement
une quille, voir illustration, page 30

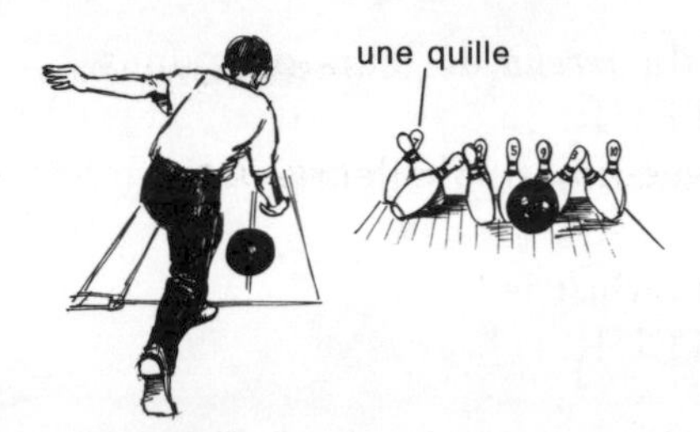

KNOCK
Les femmes sont-elles très *pieuses?* (Le docteur Parpalaid se met à rire.) La question a pour moi son importance.

5 MADAME PARPALAID
Beaucoup vont à la messe.
KNOCK
Mais Dieu tient-il une place considérable dans leurs pensées *quotidiennes?*

10 MADAME PARPALAID
Quelle idée!
KNOCK
Parfait! (Il réfléchit.) Il n'y a pas de grands *vices?*
LE DOCTEUR

15 Que voulez-vous dire?
KNOCK
Opium, cocaïne, messes noires, * *convictions* politiques?
LE DOCTEUR

20 Vous mélangez des choses si différentes! Je n'ai jamais entendu parler d'opium ni de messes noires. Quant à la politique, on s'y intéresse comme partout.

---

pieux, attaché au service de Dieu; dévot
quotidien, de chaque jour
le vice, le contraire de la vertu
la conviction, le contraire de doute, de scepticisme

KNOCK
Oui, mais en connaissez-vous qui feraient rôtir la *plante* des pieds de leurs père et mère en faveur du *scrutin* de liste ou de l'*impôt* sur le revenu?

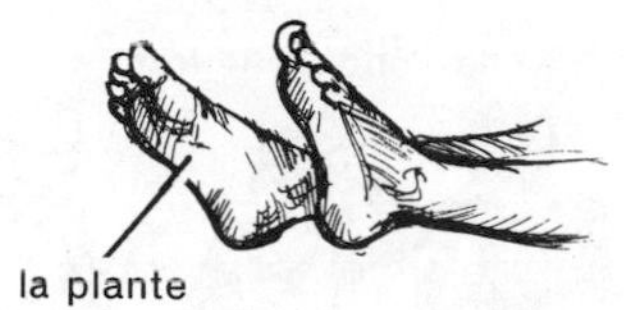

LE DOCTEUR 5
Dieu merci, ils n'en sont pas là.
* KNOCK
Bon. Vous ne voyez rien d'autre à me signaler? Par exemple dans l'ordre des sectes, des *superstitions,* des sociétés secrètes? 10
MADAME PARPALAID
A un moment, plusieurs de ces dames ont fait du spiritisme.
KNOCK
Ah! ah! 15
MADAME PARPALAID
L'on se réunissait chez la *notairesse,* et l'on faisait parler le *guéridon.*
KNOCK
Mauvais, mauvais. Détestable. 20
MADAME PARPALAID
Mais je crois qu'elles ont cessé.

---

le scrutin, le vote
l'impôt (m.), la contribution levée sur les revenus
la superstition, l'amour (m.) des faux dieux
la notairesse, la femme du notaire
un guéridon, voir illustration, page 32

KNOCK
Ah? Tant mieux! *
(De temps en temps, l'on voit Jean tourner la manivelle * , puis *s'éponger* le front.) *

5 KNOCK (il paraît agité, * et, tout en marchant :)
En somme l'âge médical peut commencer. (Il s'approche de la voiture.) Mon cher confrère, serait-il inhumain de demander à ce véhicule un nouvel effort? J'ai une hâte *incroyable* d'être à Saint-Maurice.
10 MADAME PARPALAID
Cela vous vient bien brusquement!
KNOCK
Je vous en prie, arrivons là-haut.
LE DOCTEUR
15 Qu'est-ce donc de si puissant qui vous y attire?
KNOCK *
Mon cher confrère, j'ai le sentiment que vous avez

---

incroyable, qu'il est impossible de croire

gâché là-haut une situation magnifique. * C'est couvert d'or que vous en deviez repartir, * tous deux à l'intérieur d'une *étincelante* limousine (il montre la guimbarde) et *non point* sur ce monument des premiers efforts du génie moderne. 5

MADAME PARPALAID

Vous plaisantez, docteur?

KNOCK

La plaisanterie serait *cruelle,* madame.

MADAME PARPALAID 10

Mais alors, c'est *affreux!* Tu entends, Albert?

LE DOCTEUR

J'entends que le docteur Knock * est le *jouet* d'impressions extrêmes. * (Il *hausse* les épaules.)

MADAME PARPALAID 15

Toi aussi, tu es trop sûr de toi. Ne t'ai-je pas souvent dit qu'à Saint-Maurice, en sachant *s'y prendre,* on pouvait mieux faire que *végéter?*

---

gâcher, perdre; manquer
étincelant, brillant
non point, non pas
cruel, méchant; dur
affreux, détestable; horrible
hausser, lever
s'y prendre, agir d'une certaine manière pour obtenir un résultat
végéter, mener une existence qui manque d'intérêt

LE DOCTEUR
Bon, bon, bon! Je reviendrai dans trois mois pour la première échéance. Nous verrons où en est le docteur Knock.
5 KNOCK
C'est cela. Revenez dans trois mois. Nous aurons le temps de causer. Mais je vous en *supplie*, partons tout de suite.
* JEAN (*à mi-voix.)*
10 *Cette fois-ci, je ne crois pas que nous arriverons tout seuls à la mettre en marche.
* LE DOCTEUR
Et si on essayait de la pousser?
JEAN (sans conviction.)
15 Peut-être.
LE DOCTEUR
Mais oui. Il y a vingt mètres en plaine. Je prendrai le *volant*. Vous pousserez. * Et ensuite, vous tâcherez de sauter sur le *marche-pied* au bon moment, n'est-ce pas?
20 (Le docteur revient vers les autres.) Donc, en voiture, mon cher confrère, en voiture. C'est moi qui vais conduire. Jean, qui est un *hercule*, veut s'amuser à nous mettre en marche sans le secours de la manivelle, par une espèce de *démarrage* qu'on pourrait appeler auto-
25 matique ... bien que l'énergie électrique y soit remplacée par celle des muscles, qui est un peu de même

---

supplier, prier en insistant modestement
à mi-voix, d'une voix faible
un hercule, un homme très fort
le démarrage, l'action (f.) de mettre en marche

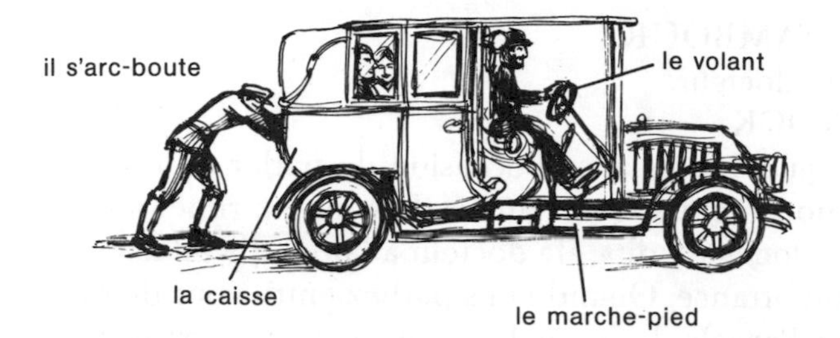

nature, il cst vrai. (Jean *s'arc-boute* contre la *caisse* de la voiture.)

ACTE II

(Dans l'ancien *domicile* de Parpalaid. L'installation *provisoire* de Knock. Table, sièges, armoire-bibliothèque, 5
chaise longue. Tableau noir, lavabo. Quelques figures anatomiques * au mur.)

Scène I

KNOCK, LE TAMBOUR DE VILLE

KNOCK (assis, regarde la pièce et écrit.) 10
C'est vous, le tambour de ville?

LE TAMBOUR (debout.)
Oui, monsieur.

KNOCK
Appelez-moi docteur. Répondez-moi «oui, docteur», 15
ou «non, docteur».

---

le domicile, la maison; le logement
provisoire, qui est destiné à être remplacé; qui n'est pas définitif

LE TAMBOUR
Oui, docteur.
KNOCK
Et quand vous avez l'occasion de parler de moi au-
5 dehors, ne manquez jamais de vous exprimer ainsi : «Le docteur a dit», «le docteur a fait» ... J'y attache de l'importance. Quand vous parliez entre vous du docteur Parpalaid, de quels termes vous serviez-vous?
LE TAMBOUR
10 Nous disions : «C'est un brave homme, mais il n'est pas bien fort».
KNOCK
Ce n'est pas ce que je vous demande. Disiez-vous «le docteur»?
15 LE TAMBOUR
Non. «M. Parpalaid» ou «le médecin», ou encore «*Ravachol*». *C'est un *surnom* qu'il avait. Mais je n'ai jamais su pourquoi.
KNOCK
20 Et vous ne le jugiez pas très fort?
LE TAMBOUR
Oh! pour moi, il était bien assez fort. Pour d'autres, il paraît que non.
KNOCK
25 Tiens!
LE TAMBOUR
Quand on allait le voir, il ne trouvait pas. * Neuf fois sur dix, il vous *renvoyait* en vous disant : «Ce n'est rien du tout. Vous serez sur pied demain, mon ami».

Ravachol, un anarchiste français (1859-1892)
un surnom, un nom ajouté
renvoyer, faire retourner là où on était d'abord

KNOCK
Vraiment!
LE TAMBOUR
Ou bien, il vous écoutait à peine, en faisant «oui, oui», «oui, oui», et il se dépêchait de parler d'autre chose, pendant une heure, par exemple de son automobile.
KNOCK
Comme si l'on venait pour ça!
LE TAMBOUR
Et puis il vous indiquait des *remèdes* de quatre sous. * Vous pensez bien que les gens qui payent huit francs pour une consultation n'aiment pas trop qu'on leur indique un remède de quatre sous. *
KNOCK
Ce que vous m'apprenez me fait réellement de la peine. Mais je vous ai appelé pour un renseignement. Quel prix demandiez-vous au docteur Parpalaid quand il vous chargeait d'une annonce?
LE TAMBOUR (avec amertume.)
Il ne me chargeait jamais d'une annonce. * Depuis trente ans qu'il était là.
* KNOCK (se relevant, un papier à la main.)
*Je ne puis pas vous croire. Bref, quels sont vos tarifs?
LE TAMBOUR
Trois francs le petit tour et cinq francs le grand tour. Ça vous paraît peut-être cher. Mais il y a du travail. D'ailleurs, je conseille à monsieur ...
KNOCK
«Au docteur».
LE TAMBOUR
Je conseille au docteur de prendre le grand tour, qui

---

un remède, un traitement; un médicament

est beaucoup plus *avantageux.*
*KNOCK
Bien, je prends le grand tour. Vous êtes *disponible,* ce matin?
5 LE TAMBOUR
Tout de suite, si vous voulez ...
KNOCK
Voici donc le texte de l'annonce. (Il lui remet le papier.)
10 LE TAMBOUR (regarde le texte.)
Je suis habitué aux *écritures.* Mais je préfère que vous me le lisiez une première fois.
KNOCK (lentement. Le Tambour écoute d'une oreille professionnelle.)
15 «Le docteur Knock, successeur du docteur Parpalaid, présente ses compliments à la population de la ville et du canton de Saint-Maurice, et a l'honneur de lui faire connaître que, dans un esprit philanthropique, et pour *enrayer* le progrès inquiétant des maladies de
20 toutes sortes qui *envahissent* depuis quelques années nos régions si *salubres* autrefois ... »
LE TAMBOUR
Ça, c'est rudement vrai!
« ... il donnera tous les lundis matin, de neuf heures
25 trente à onze heures trente, une consultation entièrement gratuite, réservée aux habitants du canton. Pour les personnes étrangères au canton, la consultation

---

avantageux, profitable; intéressant
disponible, dont on peut disposer
l'écriture (f.), ici : la manière personnelle dont on écrit
enrayer, freiner
envahir, le contraire de fuir, de quitter
salubre, ici : dont les habitants jouissaient d'une bonne santé

reste au prix ordinaire de huit francs».
LE TAMBOUR (recevant le papier avec respect.)
Eh bien! C'est une belle idée! Une idée qui sera *appréciée!* Une idée de *bienfaiteur!* (Changeant de ton.)
Mais vous savez que nous sommes lundi. Si je fais l'annonce ce matin, il va vous en arriver dans cinq minutes.
KNOCK
Si vite que cela, vous croyez?
LE TAMBOUR
Et puis, vous n'aviez peut-être pas pensé que le lundi est jour de marché? La moitié du canton est là. Mon annonce va tomber dans tout ce monde. Vous ne saurez plus où donner de la tête.
KNOCK
Je tâcherai de me débrouiller.
LE TAMBOUR
Il y a encore ceci : c'est le jour du marché que vous avez le plus de chances d'avoir des clients. M. Parpalaid n'en voyait guère que ce jour-là. (*Familièrement.*)
Si vous les recevez gratis ...
KNOCK
Vous comprenez, mon ami, ce que je veux avant tout, c'est que les gens se soignent. Si je voulais gagner de l'argent, c'est à Paris que je m'installerais, ou à New York.
LE TAMBOUR
Ah! vous avez mis le doigt dessus. On ne se soigne pas assez. On ne veut pas s'écouter. *

---

apprécier, estimer
un bienfaiteur, quelqu'un qui fait du bien
familièrement, d'un ton un peu trop libre

KNOCK (se levant.)
Donc, je compte sur vous, mon ami. Et rondement, n'est-ce pas?
LE TAMBOUR (après plusieurs hésitations.)
5 Je ne pourrai pas venir tout à l'heure, ou j'arriverai trop tard. Est-ce que ça serait un effet de votre bonté de me donner ma consultation maintenant?
KNOCK
Heu ... Oui. Mais dépêchons-nous. J'ai rendez-vous
10 avec M. Bernard, l'*instituteur,* et avec M. le pharmacien Mousquet. Il faut que je les reçoive avant que les gens n'arrivent. De quoi souffrez-vous?

LE TAMBOUR
Attendez que je réfléchisse! (Il rit.) Voilà. Quand j'ai
15 dîné, il y a des fois que je sens une espèce de *démangeaison* ici. (Il montre le haut de son *épigastre.* *
KNOCK
Désignez-moi exactement l'endroit.
LE TAMBOUR
20 Par ici.
KNOCK
Par ici ... où cela, par ici?

---

une démangeaison, une irritation de la peau
l'épigastre (m.), le ventre

LE TAMBOUR
Là. Ou peut-être là ... Entre les deux.
KNOCK
Juste entre les deux? ... Est-ce que ça ne serait pas plutôt un rien à gauche, là, où je mets mon doigt? 5
LE TAMBOUR
Il me semble bien.
KNOCK
Ça vous fait mal quand j'enfonce mon doigt?
LE TAMBOUR 10
Oui, on dirait que ça me fait mal.
KNOCK
Ah! ah! (Il médite d'un air sombre.) * Quel âge avez-vous?
LE TAMBOUR 15
Cinquante et un, dans mes cinquante-deux.
KNOCK
Plus près de cinquante-deux ou de cinquante et un?
LE TAMBOUR (il se trouble un peu.)
Plus près de cinquante-deux. Je les aurai fin 20
novembre.
KNOCK (lui mettant la main sur l'épaule.)
Mon ami, faites votre travail aujourd'hui comme d'habitude. Ce soir, couchez-vous de bonne heure. Demain matin, gardez le lit. Je passerai vous voir. Pour 25
vous, mes visites sont gratuites. Mais ne le dites pas. C'est une faveur.
LE TAMBOUR (avec *anxiété.)*
Vous êtes trop bon, docteur. Mais c'est donc grave, ce que j'ai? 30

---

l'anxiété (f.), l'inquiétude (f.); la peur

KNOCK
Ce n'est peut-être pas encore très grave. Il était temps de vous soigner. Vous fumez?
LE TAMBOUR (tirant son mouchoir.)
5 Non, je *chique*.

il chique

KNOCK
Défense absolue de chiquer. Vous aimez le vin?
LE TAMBOUR
J'en bois *raisonnablement*.
10 KNOCK
Plus une goutte de vin.
LE TAMBOUR
Je puis manger?
KNOCK
15 Aujourd'hui, comme vous travaillez, prenez un peu de potage. Demain, nous en viendrons à des restrictions plus sérieuses. Pour l'instant, tenez-vous-en à ce que je vous ai dit.
LE TAMBOUR (s'essuie à nouveau.)
20 Vous ne croyez pas qu'il vaudrait mieux que je me

---

raisonnablement, avec mesure

couche tout de suite? Je ne me sens réellement pas à mon aise.
KNOCK (ouvrant la porte.)
Gardez-vous-en bien! Dans votre cas, il est mauvais d'aller se mettre au lit entre le lever et le coucher du soleil. Faites vos annonces comme si de rien n'était, et attendez tranquillement jusqu'à ce soir.
(Le Tambour sort. Knock le reconduit.)

Scène II
KNOCK, L'INSTITUTEUR BERNARD
KNOCK
Bonjour, monsieur Bernard. Je ne vous ai pas trop dérangé en vous priant de venir à cette heure-ci?
BERNARD
Non, non, docteur. J'ai une minute. Mon *adjoint* surveille la *récréation.*
KNOCK
J'étais impatient de *m'entretenir avec* vous.
Nous avons tant de choses à faire ensemble, et de si *urgentes.* Ce n'est pas moi qui laisserai s'interrompre la *collaboration* si précieuse que vous accordiez à mon *prédécesseur.*
BERNARD
La collaboration? * Je ne vois pas bien ...

---

un adjoint, une personne associée à une autre pour l'aider dans ses fonctions
une récréation, un temps de liberté accordé aux élèves
s'entretenir avec, causer avec; parler avec
urgent, pressant; important
la collaboration, le travail en commun
le prédécesseur, le contraire de successeur

KNOCK
Ne touchons à rien pour le moment. Nous *améliorerons* par la suite s'il y a lieu. (Knock s'assoit.)
BERNARD (s'asseyant aussi.)
5 Mais ... * C'est que, docteur, je crains de ne pas bien saisir *à* quoi vous *faites allusion.*
KNOCK
Je veux dire tout simplement que je désire maintenir intacte la *liaison* avec vous, même pendant ma
10 période d'installation.
BERNARD
Il doit y avoir quelque chose qui m'échappe.
KNOCK
Voyons! Vous étiez bien en relations constantes avec
15 le docteur Parpalaid?
BERNARD
Je le rencontrais de temps en temps à l'*estaminet* de l'Hôtel de la Clef. Il nous arrivait de faire du billard.
KNOCK
20 Ce n'est pas de ces relations-là que je veux parler.
BERNARD
Nous n'en avons pas d'autres.
KNOCK
Mais ... mais ... comment vous étiez-vous *réparti* l'en-
25 seignement populaire de l'hygiène, l'œuvre de propagande dans les familles ... que sais-je, moi! Les mille *besognes* que le médecin et l'instituteur ne peuvent

---

améliorer, rendre meilleur
faire allusion à, ici : vouloir dire
la liaison, la communication; le contact
un estaminet, un petit café populaire
répartir, partager
une besogne, un travail; une tâche

faire que d'accord?
BERNARD
Nous ne nous étions rien réparti du tout. * Nous n'y avons jamais pensé ni l'un ni l'autre. C'est la première fois qu'il est question d'une chose pareille à Saint- 5
Maurice.
KNOCK (avec tous les signes d'une surprise navrée.)
Ah! ... Si je ne l'entendais pas de votre bouche, je vous assure que je n'en croirais rien. (Un silence.)
BERNARD 10
Je suis désolé de vous causer cette *déception,* mais ce n'est pas moi qui pouvais prendre une initiative de ce genre-là, vous l'admettrez, même si j'en avais eu l'idée, et même si le travail de l'école me laissait plus de loisir. 15
KNOCK
Evidemment! Vous attendiez un appel qui n'est pas venu.
BERNARD
Chaque fois qu'on m'a demandé un service, j'ai tâché 20
de le rendre.
KNOCK
Je le sais, monsieur Bernard, je le sais. (Un silence.) Voilà donc une malheureuse population qui est entièrement abandonnée à elle-même au point de vue 25
hygiénique! *Je *parie* qu'ils boivent de l'eau sans penser aux milliards de bactéries qu'ils *avalent* à chaque *gorgée.*

---

une déception, le contraire de satisfaction, de contentement
parier, ici : être sûr
avaler, manger; absorber
une gorgée, ce qu'on peut avaler de boisson en une seule fois

BERNARD
Oh! certainement.
Savent-ils même ce que c'est qu'un microbe?
BERNARD
5 J'en doute fort! Quelques-uns connaissent le mot, mais ils doivent *se figurer* qu'il s'agit d'une espèce de *mouche.*

une mouche

KNOCK (il se lève.)
C'est effrayant. Ecoutez, cher monsieur Bernard, nous
10 ne pouvons pas, à nous deux, réparer en huit jours des années de ... disons d'*insouciance.* Mais il faut faire quelque chose.
BERNARD
Je ne m'y refuse pas. Je crains seulement de ne pas
15 être d'un grand secours.
KNOCK
Monsieur Bernard, * j'ai ici la matière de plusieurs *causeries,* *des notes très complètes *. Vous arrangerez tout cela comme vous savez le faire. Tenez, pour débu-
20 ter, une petite *conférence,* toute écrite * et très agréable, sur la fièvre typhoïde, les formes insoupçonnées qu'elle prend, ses véhicules *innombrables:* eau, pain, lait, * légumes, salades, poussières, * etc. ... les semai-

---

se figurer, s'imaginer
l'insouciance (f.), la nonchalance
une causerie, une conférence, un discours
innombrable, très nombreux

nes et les mois *durant* lesquels elle *couve* sans *se trahir,* les accidents *mortels* qu'elle *déchaîne* soudain * ; le tout *agrémenté* de jolies vues : bacilles formidablement grossis, * perforations d'*intestin,* et pas en noir, en couleurs * ... (Il se rassied.) 5

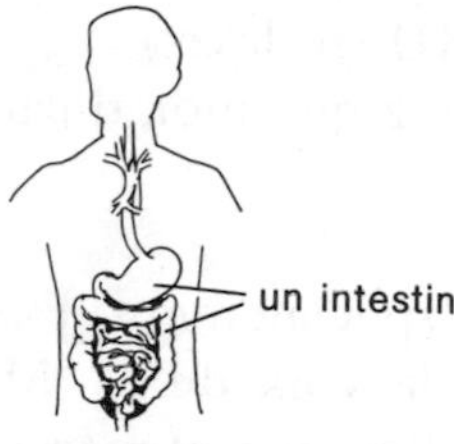

BERNARD
C'est que ... Si je me plonge là-dedans, je n'en dormirai plus.
KNOCK
Voilà justement ce qu'il faut. * Vous, monsieur Bernard, vous vous y habituerez. Qu'ils n'en dorment plus! (Penché sur lui.) Car leur tort, c'est de dormir, dans une *sécurité* trompeuse dont les réveille trop tard * la maladie. 10
BERNARD * (regard détourné.) 15
Je n'ai pas déjà une santé si solide. Mes parents ont eu beaucoup de peine à m'élever. Je sais bien que, sur vos *clichés,* tous ces microbes ne sont qu'en reproduction. Mais, enfin ...

---

durant, pendant
couver, se préparer mystérieusement et sourdement
se trahir, se manifester; se révéler
mortel, qui cause la mort
déchaîner, provoquer
agrémenter, rendre agréable
la sécurité, ici : la tranquillité; le calme
un cliché, ici : une photo

KNOCK (comme s'il n'avait rien entendu.)
* Fort de la théorie et de l'expérience, j'ai le droit de soupçonner le premier venu d'être un porteur de *germes*. Vous, par exemple, absolument rien ne me
5 prouve que vous n'en êtes pas un.
BERNARD (se lève.)
Vous pensez que moi, docteur, je suis un porteur de germes?
KNOCK
10 Pas vous spécialement. J'ai pris un exemple. Mais j'entends la voix de M. Mousquet. A bientôt, cher monsieur Bernard, et merci de votre *adhésion,* dont je ne doutais pas.

Scène III
15 KNOCK, LE PHARMACIEN MOUSQUET
KNOCK
Asseyez-vous, cher monsieur Mousquet. Hier, j'ai eu à peine le temps de jeter un coup d'œil sur l'intérieur de votre pharmacie. Mais il n'en faut pas davantage
20 pour constater l'excellence de votre installation, l'ordre *méticuleux* qui y *règne* et le modernisme du moindre détail.
MOUSQUET (*tenue* très simple, presque négligée.)
Docteur, vous êtes trop *indulgent.*

---

un germe, un microbe; une bactérie
l'adhésion (f.), l'accord (m.)
méticuleux, scrupuleux
régner, ici : exister
la tenue, la manière dont une personne est habillée
indulgent, bienveillant; généreux; bon

KNOCK
* Pour moi, le médecin qui ne peut pas s'appuyer sur un pharmacien de premier ordre est un général qui va à la bataille sans artillerie.
MOUSQUET 5
Je suis heureux de voir que vous appréciez l'importance de la profession.
KNOCK
Et moi de me dire qu'une organisation comme la vôtre trouve certainement sa *récompense,* et que vous 10
vous faites bien dans l'année un minimum de vingt-cinq mille.
MOUSQUET
* Ah! mon Dieu! Si je m'en faisais seulement la moitié!
* J'ai toutes les peines du monde à dépasser les dix 15
mille.
KNOCK
Savez-vous bien que c'est scandaleux! (Mousquet hausse tristement les épaules.) Dans ma pensée, le chiffre de vingt-cinq mille était un minimum ... Vous 20
n'avez pourtant pas de concurrent?
MOUSQUET
Aucun * ...
KNOCK
Alors quoi? des ennemis? 25
MOUSQUET
Je ne m'en connais pas.
* KNOCK
Alors ... alors ... * Mon prédécesseur ... aurait-il été au-dessous de sa tâche? 30

---

une récompense, une compensation

MOUSQUET
C'est une affaire de point de vue.
KNOCK
Encore une fois, cher monsieur Mousquet, nous
5 sommes *strictement* entre nous.
MOUSQUET
Le docteur Parpalaid est un excellent homme. Nous avions les meilleures relations privées. * Dans les débuts, je faisais loyalement mon possible. Dès que
10 les gens se plaignaient à moi et que cela me paraissait un peu grave, je les lui envoyais. Bonsoir! Je ne les voyais plus revenir.
KNOCK
Ce que vous me dites m'*affecte* plus que je ne voudrais.
15 Nous avons, cher monsieur Mousquet, deux des plus beaux métiers qu'on connaisse. N'est-ce pas une honte que de les faire peu à peu *déchoir* du haut degré de *prospérité* et de puissance où nos *devanciers* les avaient mis? Le mot de sabotage me vient aux lèvres.
20 MOUSQUET
* Je vous assure, docteur, que ma femme serait bien empêchée de se payer les chapeaux et les bas de soie que la femme du *ferblantier arbore* semaine et dimanche.
25 KNOCK
Taisez-vous, cher ami, vous me faites mal. * Dans un

---

strictement, uniquement
affecter, toucher péniblement
déchoir, tomber
la prospérité, la richesse
un devancier, un prédécesseur
arborer, montrer; faire étalage de

un ferblantier

canton comme celui-ci nous devrions, vous et moi, ne pas pouvoir suffire à la besogne.

MOUSQUET

C'est juste.

KNOCK 5

Je pose en principe que tous les habitants du canton sont * nos clients désignés. *

MOUSQUET

Il est vrai qu'à un moment ou l'autre de sa vie, chacun peut devenir notre client par occasion. 10

KNOCK

Par occasion? Point du tout. Client régulier, client fidèle.

MOUSQUET

Encore faut-il qu'il tombe malade! 15

KNOCK

«Tomber malade», vieille *notion* qui ne tient plus devant les données de la science actuelle. La santé n'est qu'un mot. * Pour ma part, je ne connais que des gens plus ou moins atteints de maladies plus ou moins 20 nombreuses à évolution plus ou moins rapide. Natu-

la notion, l'idée (f.); la pensée

rellement, si vous allez leur dire qu'ils se portent bien, ils ne demandent qu'à vous croire. Mais vous les trompez. Votre seule excuse, c'est que vous ayez déjà trop de malades à soigner pour en prendre de nou-
5 veaux.

MOUSQUET

En tout cas, c'est une très belle théorie. * Cher docteur, je serais un *ingrat,* si je ne vous remerciais pas *avec effusion,* et un misérable si je ne vous aidais pas de tout
10 mon pouvoir.

KNOCK

Bien, bien. Comptez sur moi comme je compte sur vous.

Scène IV

15 KNOCK, LA DAME EN NOIR

(Elle a quarante ans et respire l'*avarice* paysanne. *

KNOCK

Ah! voici les *consultants.* * *Une douzaine,* déjà? (*A la cantonade.)* Prévenez les nouveaux arrivants qu'après
20 onze heures et demie je ne puis plus recevoir personne, au moins en consultation gratuite. C'est vous qui êtes la première, Madame? (Il fait entrer la dame en noir et referme la porte.) Vous êtes bien du canton?

LA DAME EN NOIR

25 Je suis de la commune.

---

ingrat, le contraire de reconnaissant
avec effusion, ici : du fond de mon cœur
l'avarice (f.), le fait d'être avare
un consultant, une personne qui demande un examen médical
une douzaine, un nombre de douze environ
à la cantonade, sans s'adresser a quelqu'un en particulier

KNOCK
De Saint-Maurice même?
LA DAME
J'habite la grande ferme qui est sur la route de Luchère. 5
KNOCK
Elle vous appartient?
LA DAME
Oui, à mon mari et à moi.
KNOCK 10
Si vous l'*exploitez* vous-même, vous devez avoir beaucoup de travail.
LA DAME
Pensez, monsieur! dix-huit vaches, deux bœufs, deux *taureaux,* la *jument* et le *poulain,* six *chèvres,* une bonne 15 douzaine de cochons.
KNOCK
Diable! Vous n'avez pas de domestiques?
LA DAME
* Si. Trois *valets,* une *servante* et les *journaliers* dans la 20 belle saison.
KNOCK
Je vous plains. Il ne doit guère vous rester de temps pour vous soigner?

---

exploiter, tirer profit de
un taureau, une chèvre, voir illustration, page 54/55
une jument, la femelle d'un cheval; un cheval de sexe féminin
un poulain, le petit d'un cheval
un valet, un domestique
une servante, une bonne; une fille employée comme domestique
un journalier, un ouvrier qui travaille à la journée dans l'agriculture (f.)

LA DAME
Oh! Non.
KNOCK
Et pourtant vous souffrez.
5 LA DAME
Ce n'est pas le mot. J'ai plutôt de la fatigue.
KNOCK
Oui, vous appelez ça de la fatigue. * Tirez la langue.
Vous ne devez pas avoir beaucoup d'appétit.
10 LA DAME
Non.
KNOCK (il l'*ausculte.)*
Baissez la tête. Respirez. Toussez. Vous n'êtes jamais
tombée d'une échelle, étant petite?

---

ausculter, examiner en écoutant

un taureau

LA DAME

Je ne me souviens pas.

KNOCK (il lui * presse brusquement les *reins* * .)

Vous n'avez jamais mal ici le soir en vous couchant?
Une espèce de *courbature?* 5

LA DAME

Oui, des fois.

*KNOCK (très *affirmatif.)*

C'etait une échelle d'environ trois mètres cinquante
posée contre un mur. Vous êtes tombée à la renverse.* 10

LA DAME

Ah oui!

---

les reins, la partie inférieure du dos
une courbature, une sensation de douleur provoquée par la fatigue
affirmatif, qui affirme

KNOCK
Vous aviez déjà consulté le docteur Parpalaid?
LA DAME
Non, jamais. * Il ne donnait pas de consultations gra-
5 tuites. *
KNOCK (la fait asseoir.)
Vous vous rendez compte de votre état?
LA DAME
Non.
10 KNOCK (il s'assied en face d'elle.)
Tant mieux. Vous avez envie de guérir, ou vous n'avez pas envie?
LA DAME
J'ai envie.
15 KNOCK
J'aime mieux vous prévenir tout de suite que ce sera long et très coûteux.
LA DAME
Ah! mon Dieu! Et pourquoi ça?
20 KNOCK
Parce qu'on ne guérit pas en cinq minutes un mal qu'on traîne depuis quarante ans, * depuis que vous êtes tombée de votre échelle.
LA DAME
25 Et combien que ça me coûterait?
KNOCK
Qu'est-ce que valent les veaux, actuellement?
LA DAME
Ça dépend des marchés et de la grosseur. Mais on ne
30 peut guère en avoir de propres à moins de quatre ou cinq cents francs.
KNOCK
Et les cochons gras?

LA DAME
Il y en a qui font plus de mille.
KNOCK
Eh bien! ça vous coûtera à peu près deux cochons et deux veaux. 5
LA DAME
Ah! là! là! Près de trois mille francs? C'est une *désolation,* Jésus Marie! * (Un silence.) Mais qu'est-ce que je peux donc avoir de si terrible que ça?
KNOCK (avec une grande *courtoisie.)* 10
Je vais vous l'expliquer en une minute au tableau noir ... * Voici votre *moelle épinière,* en coupe, très schématiquement, n'est-ce pas? Vous reconnaissez ici votre *faisceau* de Türck et ici votre *colonne* de Clarke. Vous me suivez? Eh bien! quand vous êtes tombée de 15 l'échelle, votre Türck et votre Clarke ont glissé *en sens inverse* *de quelques dixièmes de millimètre. Vous me direz que c'est très peu. Evidemment. Mais c'est très mal placé. * (Il s'essuie les doigts.)
LA DAME 20
Mon Dieu! Mon Dieu!
KNOCK
Remarquez que vous ne mourrez pas du jour au lendemain. Vous pouvez attendre. * Je me demande même s'il ne vaut pas mieux laisser les choses comme 25 elles sont. L'argent est si dur à gagner. Tandis que les années de vieillesse, on en a toujours bien assez. Pour le plaisir qu'elles donnent.

---

une désolation, une peine; une consternation
la courtoisie, la politesse
la moelle épinière, un faisceau, une colonne, voir illustration, page 58
en sens inverse, dans le sens opposé

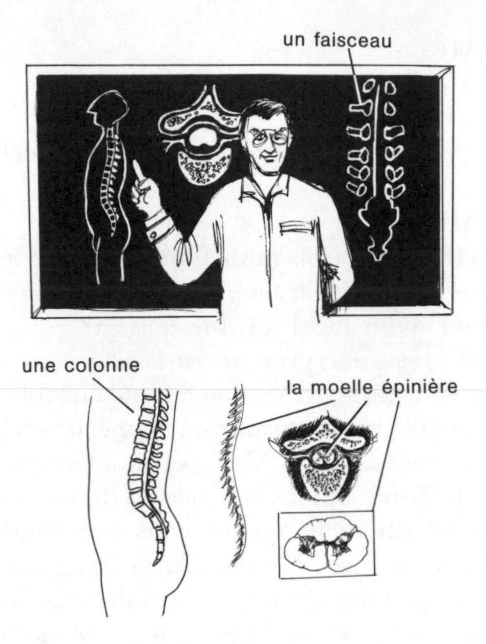

LA DAME
Et en faisant ça plus ... *grossièrement,* vous ne pourriez pas me guérir à moins cher? ... à condition que ce soit bien fait tout de même.
5 KNOCK
Ce que je puis vous proposer, c'est de vous mettre en observation. Ça ne vous coûtera presque rien. Au bout de quelques jours vous vous rendrez compte par vous-même de la *tournure* que prendra le mal, et vous
10 vous déciderez.
LA DAME
Oui, c'est ça.

---

grossièrement, d'une manière peu raffinée
la tournure, l'évolution (f).

KNOCK
Bien. Vous allez rentrer chez vous. Vous êtes venue en voiture?
LA DAME
Non, à pied. 5
KNOCK *
Vous vous coucherez en arrivant. Une chambre où vous serez seule, autant que possible. Faites fermer les *volets* et les rideaux pour que la lumière ne vous gêne pas. Défendez qu'on vous parle. 10

Aucune alimentation solide pendant une semaine. Un verre d'eau de Vichy toutes les deux heures, et, *à la rigueur,* une moitié de biscuit, matin et soir. * Vous ne direz pas que je vous ordonne des remèdes coûteux! A la fin de la semaine, nous verrons comment vous 15 vous sentez. Si vous êtes *gaillarde* *, c'est que le mal est moins sérieux qu'on pouvait croire, et je serai le premier à vous rassurer. Si, au contraire, vous éprouvez une faiblesse générale * et une certaine *paresse* à vous

---

à la rigueur, en cas de nécessité absolue
gaillard, plein de vie; en très bonne santé
la paresse, le goût pour l'inaction (f.)

lever, * nous commencerons le traitement. C'est convenu?
LA DAME (soupirant.)
Comme vous voudrez.
5 KNOCK (désignant l'ordonnance.)
Je rappelle mes *prescriptions* sur ce bout de papier. Et j'irai vous voir bientôt. (Il lui remet l'ordonnance et la reconduit.) * Mariette, aidez madame à descendre l'escalier. *
10 (On aperçoit quelques visages de consultants que la sortie de la dame en noir frappe de *crainte* et de respect.

Scène V
KNOCK, LA DAME EN VIOLET
15 (Elle a soixante ans; toutes les pièces de son costume sont de la même nuance de violet; elle s'appuie * sur une sorte d'*alpenstock*.

---

une prescription, une instruction; une recommandation
la crainte, la peur

LA DAME EN VIOLET (avec *emphase.*)
Vous devez bien être étonné, docteur, de me voir ici.
KNOCK
Un peu étonné, madame.
LA DAME 5
Qu'une dame Pons, née demoiselle Lempoumas, vienne à une consultation gratuite, c'est en effet assez extraordinaire. * Vous vous dites peut-être qu' * une demoiselle Lempoumas, dont la famille remonte * jusqu'au XIIIe siècle et a possédé *jadis* la moitié du pays, 10 et qui a des *alliances* avec toute la noblesse et la haute bourgeoisie du département, en est réduite à faire la queue, avec les pauvres et pauvresses de Saint-Maurice? Avouez, docteur, qu'on a vu mieux.
KNOCK (la fait asseoir.) 15
Hélas oui, madame.
LA DAME
Je ne vous dirai pas que mes revenus soient restés ce qu'ils étaient autrefois * . J'ai même dû vendre, l'an dernier, un domaine de cent soixante hectares, la 20 Michouille, qui me venait de ma grand-mère *maternelle.* *Il est vrai qu'avec les * réparations il ne me rapportait plus qu'une somme ridicule. * J'en avais assez, assez, assez! Ne croyez-vous pas, docteur, que * j'ai eu raison de me débarrasser de ce domaine? 25
KNOCK (qui n'a cessé d'être parfaitement attentif.)
Je le crois, madame, surtout si vous * avez bien placé votre argent.

---

l'emphase (f.), le ton pompeux
jadis, autrefois
une alliance, une association; une relation
maternel, du côté de la mère

LA DAME
* Vous avez touché le *vif* de la *plaie*. Je me demande nuit et jour si je l'ai bien placé. * En particulier, j'ai acheté un tas d'*actions* de *charbonnages*. Docteur, que
5 pensez-vous des charbonnages?
KNOCK
Ce sont, en général, d'excellentes valeurs un peu spéculatives peut-être, *sujettes* à des *hausses* inconsidérées suivies de *baisses* inexplicables.
10 LA DAME
Ah! mon Dieu! Vous me *donnez la chair de poule*. J'ai l'impression de les avoir achetées en pleine hausse. Et j'en ai pour plus de cinquante mille francs. D'ailleurs, c'est une folie de mettre une somme pareille dans les
15 charbonnages, quand on n'a pas une grosse fortune.
KNOCK
Il me semble, en effet, qu'un tel placement ne devrait jamais représenter plus du dixième de *l'avoir* total.
LA DAME
20 * Vous me rassurez, docteur. J'en avais besoin. * Je voudrais ne plus penser toute la journée à mes *locataires*, à mes *fermiers* et à mes titres. * ... Mais vous atten-

---

le vif, ici : le point ... qui cause la plus grande douleur
une plaie, une blessure
une action, ici : un titre ou certificat, représentant les droits d'un associé dans certaines sociétés
un charbonnage, une mine de charbon
sujet à, exposé à
la hausse, l'augmentation (f.) de valeur
la baisse, la diminution de valeur
donner la chair de poule, faire très peur
l'avoir (m.), ce qu'on possède; la fortune
un locataire, une personne qui loue une maison, un appartement
un fermier, un paysan; un agriculteur

dez, sans doute, que je vous explique pourquoi j'ai fait queue à votre consultation gratuite?

KNOCK

Quelle que soit votre raison, madame, elle est certainement excellente. 5

LA DAME

Voilà! J'ai voulu donner l'exemple. Je trouve que vous avez eu là, docteur, une belle et noble inspiration. Mais, je connais mes gens. J'ai pensé: «Ils n'en ont pas l'habitude, ils n'iront pas *». Et je me suis dit: «S'ils 10 voient qu'une dame Pons, demoiselle Lempoumas, n'hésite pas à *inaugurer* les consultations gratuites, ils n'auront plus honte de s'y montrer». Car mes moindres gestes sont observés et commentés. C'est bien naturel. 15

KNOCK

Votre *démarche* est très *louable,* madame. Je vous en remercie.

LA DAME (se lève, *faisant mine de* se retirer.)

Je suis enchantée, docteur, d'avoir fait votre connais- 20 sance. Je reste chez moi tous les après-midi. Il vient quelques personnes. * Il y aura toujours une tasse de côté pour vous.

(Knock *s'incline.* Elle avance encore vers la porte.)

Vous savez que je suis réellement très, très tourmentée 25 avec mes locataires et mes titres. Je passe des nuits sans dormir. C'est horriblement fatigant. Vous ne connaîtriez pas, docteur, un secret pour faire dormir?

---

inaugurer, marquer le début de
la démarche, la manière d'agir
être louable, mériter d'être loué
faire mine de, paraître disposé à
s'incliner, se pencher

KNOCK
Il y a longtemps que vous souffrez d'*insomnie?*
LA DAME
Très, très longtemps.
5 * KNOCK
*Il y a des cas d'insomnie dont la *signification* est d'une exceptionnelle *gravité*. *L'insomnie peut être due à un *trouble* essentiel, particulièrement à une *altération* des *vaisseaux* dite «en *tuyau de pipe»*. Vous avez peut-être,
10 madame, les *artères* du *cerveau* en tuyau de pipe.

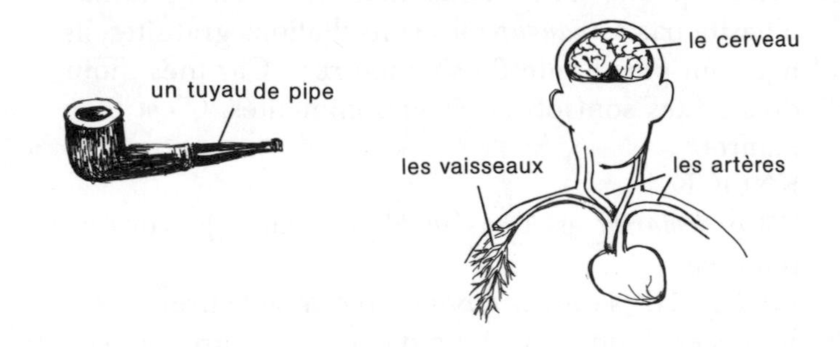

LA DAME
Ciel! En tuyau de pipe! L'usage du tabac, docteur, *y serait-il pour* quelque chose? Je *prise* un peu.
KNOCK
15 C'est un point qu'il faudrait examiner. L'insomnie peut encore *provenir d'*une attaque profonde et conti-

---

l'insomnie (f.), la difficulté à dormir
la signification, le sens
la gravité, ce qui peut entraîner de graves conséquences
un trouble, un désordre
une altération, un changement en mal; une dégradation
y être pour quelque chose, jouer un rôle dans
provenir de, venir de

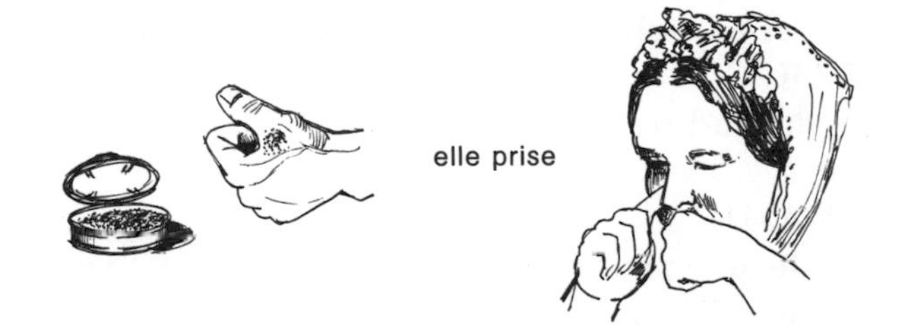

nue de la substance grise par la *névroglie.* *Représentez-vous un *crabe* *ou une *gigantesque araignée* en train de vous *grignoter,* *et de vous *déchiqueter* doucement la *cervelle.*

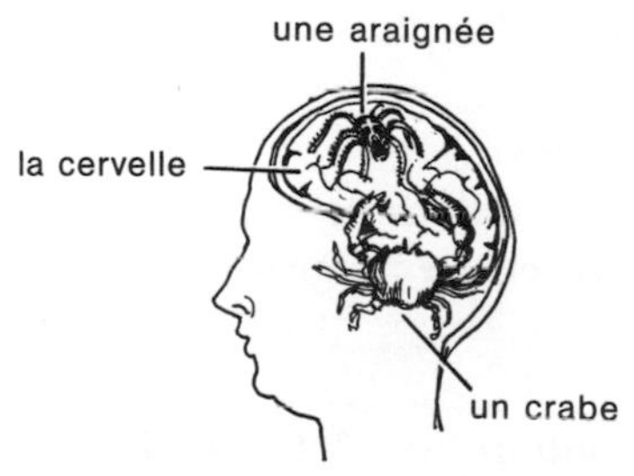

LA DAME 5

Oh! * Voilà certainement ce que je dois avoir. Je le sens bien. Je vous en prie, docteur, tuez-moi tout de suite. Une *piqûre,* une piqûre! Ou plutôt ne m'abandonnez pas. Je me sens glisser au dernier degré de l'*épouvante.* (Un silence.) Ce doit être absolument *incu-* 10

---

une névroglie, un tissu du système nerveux
gigantesque, énorme
grignoter, manger (du bout des dents)
déchiqueter, déchirer en petits morceaux
une piqûre, une injection
l'épouvante (f.), l'horreur (f.)
incurable, qui ne peut être guéri

rable? et mortel? * Il y a un espoir de *guérison?*
* KNOCK
Tout dépend de la *régularité* et de la durée du traitement.
5 LA DAME
Mais de quoi peut-on guérir? De la chose en tuyau de pipe ou de l'araignée? Car je sens bien que, dans mon cas, c'est plutôt l'araignée? *
KNOCK
10 On peut guérir de l'un et de l'autre. Je n'oserais peut-être pas donner cet espoir à un malade ordinaire, qui n'aurait ni le temps ni les moyens de se soigner, suivant les méthodes les plus modernes. Avec vous, c'est différent.
15 LA DAME (se lève.)
Oh! je serai une malade très *docile,* docteur, soumise comme un petit chien *, surtout si ce n'est pas trop *douloureux.*
KNOCK
20 *Aucunement* douloureux. * La seule difficulté, c'est d'avoir la patience de poursuivre bien sagement la *cure* pendant deux ou trois années. *
LA DAME
Oh! moi, je ne manquerai pas de patience. Mais c'est
25 vous, docteur, qui n'allez pas vouloir vous occuper de moi autant qu'il faudrait.

---

la guérison, le fait de guérir
la régularité, le caractère régulier
docile, sage; obéissant
douloureux, qui cause une douleur
aucunement, pas du tout; nullement
la cure, le traitement

KNOCK
Vouloir, vouloir! Je ne demande pas mieux. Il s'agit de pouvoir. Vous demeurez loin?
LA DAME
Mais non, à deux pas. *
KNOCK
J'essayerai de *faire un bond* tous les matins jusque chez vous. Sauf le dimanche. Et le lundi à cause de ma consultation. * Je vous laisserai des instructions détaillées. Et puis, quand je trouverai une minute, je passerai le dimanche matin ou le lundi après-midi.
LA DAME
Ah! tant mieux! tant mieux! (Elle se relève.) Et qu'est-ce qu'il faut que je fasse tout de suite?
KNOCK
Rentrez chez vous. Gardez la chambre. J'irai vous voir demain matin et je vous examinerai *à fond*.
LA DAME
Je n'ai pas de médicaments à prendre aujourd'hui?
KNOCK (debout.)
Heu ... si. (Il *bâcle* une ordonnance.) Passez chez M. Mousquet et priez-le d'exécuter aussitôt cette première ordonnance.

Scène VI
KNOCK, LES DEUX GARS DE VILLAGE
KNOCK *
Mais, Mariette, qu'est-ce que c'est que tout ce monde? (Il regarde sa montre.) Vous avez bien annoncé que la

---

faire un bond, passer
à fond, complètement; entièrement
bâcler, écrire sans soins

consultation gratuite cessait à onze heures et demie?
LA VOIX DE MARIETTE
Je l'ai dit. Mais ils veulent rester.
KNOCK
5 Quelle est la première personne? (Deux *gars* s'avancent. Ils se retiennent de rire. * Derrière eux, la foule s'amuse de leur *manège* et devient assez *bruyante.* Knock *feint de* ne rien remarquer.) Lequel de vous deux?
10 LE PREMIER GARS (regard de côté. *)
Hi! hi! hi! Tous les deux. Hi! hi! hi!
KNOCK
* Je ne puis pas vous recevoir tous les deux *à la fois.* Choisissez. D'abord, il me semble que je ne vous ai
15 pas vus tantôt. Il y a des gens avant vous.
LE PREMIER
Ils nous ont cédé leur tour. Demandez-leur. Hi! hi! (Rires. *)
LE SECOND (*enhardi.)*
20 Nous deux, on va toujours ensemble. On *fait la paire.* Hi! hi! hi!
KNOCK (* du ton le plus froid.)
Entrez. (* Au premier gars.) Déshabillez-vous. (Au second, lui désignant une chaise.) Vous, asseyez-vous
25 là *.

---

un gars, un garçon; un jeune homme
le manège, la manière de se conduire
bruyant, le contraire de silencieux
feindre de, faire comme si
à la fois, en même temps
enhardi, encouragé
faire la paire, avoir les mêmes défauts

LE PREMIER (il n'a plus que son pantalon et sa chemise.)
Faut-il que je me mette tout nu?
KNOCK
Enlevez encore votre chemise * ... Ça suffit (Knock s'approche, tourne autour de l'homme, *palpe,* *ausculte, tire sur la peau, retourne les *paupières, retrousse* les lèvres. * Quand l'autre est *maté,* il lui désigne la chaise longue.) Etendez-vous là-dessus. Allons. Ramenez les genoux. (Il palpe le ventre, *applique* ça et là le stéthoscope.) *Allongez* le bras. (Il examine le *pouls.* *). Bien. *Rhabillez-vous.* (Silence. L'homme se rhabille.) Vous avez encore votre père?
LE PREMIER
Non, il est mort.
KNOCK
De mort *subite?*
LE PREMIER
Oui.
KNOCK
C'est ça. Il ne devait pas être vieux?
LE PREMIER
Non, quarante-neuf ans.
KNOCK
Si vieux que ça. (Long silence. Les deux gars n'ont pas

il retrousse les lèvres

---

palper, examiner en touchant avec les doigts
une paupière, voir illustration, page 70
mater, rendre définitivement docile
appliquer, mettre; placer; poser
allonger, étendre
le pouls, voir illustration, page 70
se rhabiller, s'habiller de nouveau
subit, brusque; soudain

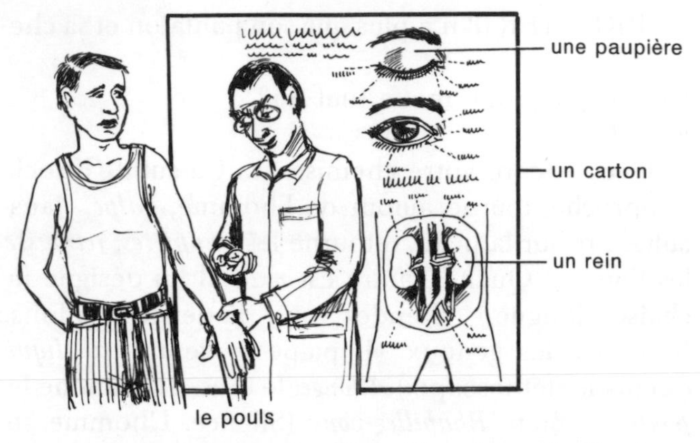

la moindre envie de rire. Puis Knock va *fouiller* dans un coin * et rapporte de grands *cartons* illustrés qui représentent les principaux organes chez l'alcoolique avancé, et chez l'homme normal. Au premier gars
5 avec courtoisie.) Je vais vous montrer dans quel état sont vos principaux organes. Voilà les *reins* d'un homme ordinaire.
Voici les vôtres. (Avec des pauses.) Voici votre foie. Voici votre cœur. Mais chez vous, le cœur est déjà plus
10 abîmé qu'on ne l'a représenté là-dessus.
(Puis Knock va tranquillement remettre les tableaux à leur place.)
LE PREMIER (très *timidement.)*
Il faudrait peut-être que je cesse de boire?
15 KNOCK
Vous ferez comme vous voudrez. (Un silence.)
LE PREMIER
Est-ce qu'il y a des remèdes à prendre?

---

fouiller, chercher; explorer
timide, qui manque d'assurance

KNOCK
Ce n'est guère la peine. (Au second.) A vous, maintenant.
LE PREMIER
Si vous voulez, monsieur le docteur, je reviendrai à une consultation payante? 5
KNOCK
C'est tout à fait inutile.

LE SECOND (très *piteux.)*
Je n'ai rien, moi, monsieur le docteur.
KNOCK
Qu'est-ce que vous en savez?
5 LE SECOND (il recule en tremblant.)
Je me porte bien, monsieur le docteur.
KNOCK
* Allons! déshabillez-vous.
LE SECOND (il va vers la porte.)
10 Non, non, monsieur le docteur, pas aujourd'hui. Je reviendrai, monsieur le docteur.
(Silence. Knock ouvre la porte. On entend le *brouhaha* des gens qui rient d'avance. Knock laisse passer les deux gars qui sortent avec des mines diversement *ter-*
15 *rifiées,* et traversent la foule soudain silencieuse comme à un enterrement.)

ACTE III

(La grande salle de l'hôtel de la Clef. On y doit sentir l'hôtel de *chef-lieu* de canton en train de *tourner* au
20 Médical-Hôtel.)

Scène I
MADAME REMY, SCIPION
Scipion, la voiture est arrivée?

---

piteux, triste; confus
le brouhaha, le bruit confus dans une foule
terrifié, effrayé
le chef-lieu, ici : le centre administratif d'un canton (partie d'un département)
tourner à, se changer en

SCIPION
Oui, madame. * Quinze minutes de retard.
MADAME REMY
A qui sont ces bagages?
SCIPION 5
A une dame de Livron, qui vient consulter.
MADAME REMY
Mais nous ne l'attendions que pour ce soir.
SCIPION
Erreur. La dame de ce soir vient de Saint-Marcellin. 10
MADAME REMY
Et cette valise?
SCIPION
A Ravachol.
MADAME REMY 15
Comment! M. Parpalaid est ici?
SCIPION
A cinquante mètres derrière moi.
MADAME REMY
Qu'est-ce qu'il vient faire? Pas reprendre sa place, 20
bien sûr?
SCIPION
Consulter, probable.
MADAME REMY
Mais il n'y a que le 9 et le 14 de disponibles. Je garde 25
le 9 pour la dame de Saint-Marcellin. Je mets la dame
de Livron au 14. Pourquoi n'avez-vous pas dit à Ravachol qu'il ne restait rien?
SCIPION
Il restait le 14. Je n'avais pas d'instructions pour choi- 30
sir entre la dame de Livron et Ravachol.
MADAME REMY
Je suis très ennuyée.

SCIPION
Vous tâcherez de vous débrouiller. Moi, il faut que je m'occupe de mes malades.
MADAME REMY
5 Pas du tout, Scipion. Attendez M. Parpalaid et expliquez-lui qu'il n'y a plus de chambres. Je ne puis pas lui dire ça moi-même.
SCIPION
Désolé, patronne. J'ai juste le temps de passer ma
10 blouse. Le docteur Knock sera là dans quelques instants. J'ai à recueillir les urines du 5 et du 8, les *crachats* du 2, la température du 1, du 3, du 4, du 12, du 17, du 18, et le reste. Je n'ai pas envie de me faire *engueuler*.

les crachats (m.)

15 MADAME REMY
Vous ne montez même pas les bagages de cette dame?
SCIPION
Et la bonne? *
(Scipion quitte la scène. Mme Rémy, en voyant appa-
20 raître Parpalaid, fait *de même*.)

---

engueuler, le contraire de complimenter
de même, la même chose

Scène II

PARPALAID seul, puis LA BONNE

LE DOCTEUR PARPALAID

Hum! ... Il n'y a personne? ... Madame Rémy! ... Scipion! ... C'est curieux ... ! Voilà toujours ma valise. Scipion! ... 5

LA BONNE (en tenue d'infirmière.)

Monsieur? Vous demandez?

LE DOCTEUR

Je voudrais bien voir la patronne. 10

LA BONNE

Pourquoi, monsieur?

LE DOCTEUR

Pour qu'elle m'indique ma chambre. * Mais, mademoiselle, vous ne me connaissez pas? 15

LA BONNE

Non, pas du tout.

LE DOCTEUR

Le docteur Parpalaid. Il y a trois mois encore, j'étais médecin de Saint-Maurice ... Sans doute n'êtes-vous 20 pas du pays?

LA BONNE

Si, si. Mais je ne savais pas qu'il y avait eu un médecin ici avant le docteur Knock. (Silence.) Vous m'excuserez, monsieur. La patronne va sûrement venir. Il faut 25 que je termine la stérilisation de mes *taies d'oreiller.*

LE DOCTEUR

Cet hôtel a une *physionomie* singulière.

---

une taie d'oreiller, voir illustration, page 76
une physionomie, un aspect

Scène III

PARPALAID, puis MADAME REMY

MADAME REMY (glissant un œil.)

Il est encore là! (Elle se décide.) Bonjour, monsieur
5 Parpalaid. Vous ne venez pas pour *loger,* au moins?

LE DOCTEUR

Mais si ... Comment allez-vous, Madame Rémy?

MADAME REMY

Nous voilà bien! Je n'ai plus de chambres.

10 LE DOCTEUR

C'est donc jour de *foire* aujourd'hui.

MADAME REMY

Non, jour ordinaire.

LE DOCTEUR

15 Et toutes vos chambres sont occupées, un jour ordinaire? Qu'est-ce que c'est que tout ce monde-là?

MADAME REMY

Des malades. *

Oui, des gens qui suivent un traitement. * D'ailleurs,
20 ils ne sont pas si à plaindre que cela, chez nous, en attendant notre nouvelle installation. Ils reçoivent tous les soins sur place. Et toutes les règles de l'hygiène moderne sont observées.

---

loger, demeurer; descendre à l'hôtel
une foire, un grand marché

LE DOCTEUR
Mais d'où sortent-ils?
MADAME REMY
Les malades? Depuis quelque temps, il en vient d'un peu partout. Au début, c'étaient des gens *de passage,* * des voyageurs qui se trouvaient à Saint-Maurice pour leurs affaires. Ils entendaient parler du docteur Knock, dans le pays, et à tout hasard ils allaient le consulter. Evidemment, sans bien se rendre compte de leur état, ils avaient le *pressentiment* de quelque chose. Mais si leur bonne chance ne les avait pas conduits à Saint-Maurice, plus d'un serait mort à l'heure qu'il est.
LE DOCTEUR
Et pourquoi seraient-ils morts?
MADAME REMY
Comme ils ne se doutaient de rien, ils auraient continué à boire, à manger, à faire cent autres *imprudences.*
LE DOCTEUR
Et tous ces gens-là sont restés ici?
MADAME REMY
Oui, en revenant de chez le docteur Knock, ils se dépêchaient de se mettre au lit, et ils commençaient à suivre le traitement. Aujourd'hui, ce n'est déjà plus pareil. Les personnes que nous recevons ont *entrepris* le voyage exprès. L'ennui, c'est que nous manquons de place. Nous allons faire construire.
LE DOCTEUR
C'est extraordinaire. * Quelle vie mène-t-il donc?

---

de passage, ici : qui passaient
le pressentiment, l'intuition (f.)
l'imprudence (f.), le manque de sagesse
entreprendre, commencer

MADAME REMY
Une *vie de forçat*. Dès qu'il est levé, c'est pour courir à ses visites. A dix heures, il passe à l'hôtel. Vous le verrez dans cinq minutes. Puis les consultations chez lui.
5 Et les visites, de nouveau, jusqu'au bout du canton. Je sais bien qu'il a son automobile, une belle voiture neuve qu'il conduit *à fond de train*. Mais je suis sûre qu'il lui arrive plus d'une fois de déjeuner d'un sandwich.
10 LE DOCTEUR
C'est exactement mon cas à Lyon.
MADAME REMY
Ah? ... Ici, pourtant, vous aviez su vous faire une petite vie tranquille. (Gaillarde.) Vous vous rappelez vos
15 parties de billard dans l'estaminet?
LE DOCTEUR
Il faut croire que de mon temps les gens se portaient mieux.
MADAME REMY
20 Ne dites pas cela, monsieur Parpalaid. Les gens n'avaient pas l'idée de se soigner, c'est tout différent. Il y en a qui s'imaginent que dans nos campagnes nous sommes encore des sauvages, que nous n'avons aucun souci de notre personne, que nous attendons
25 que notre heure soit venue de *crever* comme les animaux, et que les remèdes, les régimes, les appareils et tous les progrès, c'est pour les grandes villes. Erreur, monsieur Parpalaid. * Les choses ont changé, Dieu merci.

---

une vie de forçat, une vie très dure
à fond de train, très vite
crever, ici : mourir

LE DOCTEUR
Enfin, si les gens en ont assez d'être *bien portants,* et s'ils veulent s'offrir le luxe d'être malades, ils auraient tort de se gêner. C'est d'ailleurs tout *bénéfice* pour le médecin. 5
MADAME REMY (très animée.)
En tout cas, personne ne vous laissera dire que le docteur Knock est intéressé. C'est lui qui a créé les consultations gratuites, que nous n'avions jamais connues ici. Pour les visites, il fait payer les personnes 10 qui en ont les moyens, * mais il n'accepte rien des *indigents.* * Et il ne faut pas insinuer non plus qu'il découvre des maladies aux gens qui n'en ont pas. Moi, la première, je me suis peut-être fait examiner dix fois depuis qu'il vient *quotidiennement* à l'hôtel. Il 15 m'a toujours dit que je n'avais rien, que je ne devais pas me tourmenter, que je n'avais qu'à bien manger et à bien boire. Et pas question de lui faire accepter un centime. La même chose pour M. Bernard, l'instituteur, qui s'était mis en tête qu'il était porteur de 20 germes et qui n'en vivait plus. * D'ailleurs voici M. Mousquet qui vient *faire une prise de sang* au 15 avec le docteur. Vous pourrez causer ensemble. (Après un temps de réflexion.) Et puis, donnez-moi tout de même votre valise. Je vais essayer de vous trouver un 25 coin.

---

bien portant, en bonne santé
le bénéfice, le profit
indigent, pauvre
quotidiennement, tous les jours
faire une prise de sang, prendre du sang pour l'analyser

Scène IV

MOUSQUET (dont la tenue est devenue *fashionable.)*

Le docteur n'est pas encore là? Ah? le docteur Parpa-
5 laid! Un *revenant,* ma foi. Il y a si longtemps que vous nous avez quittés!

un revenant

LE DOCTEUR

Si longtemps? Mais non, trois mois.

MOUSQUET

10 C'est vrai! Trois mois! Cela me semble *prodigieux.* *Et vous êtes content à Lyon?

LE DOCTEUR

Très content.

MOUSQUET

15 Ah! tant mieux, tant mieux. Vous aviez peut-être là-bas une clientèle toute faite?

LE DOCTEUR

Heu ... Je l'ai déjà *accrue* d'un tiers ... La santé de Mme Mousquet est bonne?

20 MOUSQUET

Bien meilleure.

---

fashionable (anglais), à la mode
prodigieux, extraordinaire; étonnant
accroître, augmenter

LE DOCTEUR
Aurait-elle été *souffrante?*
MOUSQUET
Vous ne vous rappelez pas, ces *migraines* dont elle se plaignait souvent? D'ailleurs vous n'y aviez pas attaché d'importance. Le docteur Knock a * *prescrit* un traitement qui a fait merveille. 5
LE DOCTEUR
Ah! Elle ne souffre plus?
MOUSQUET 10
De ses anciennes migraines, plus du tout. Les lourdeurs de tête qu'il lui arrive encore d'éprouver proviennent uniquement du *surmenage* et n'ont rien que de naturel. Car nous sommes terriblement *surmenés.* Je vais prendre un élève. Vous n'avez personne de sérieux à me recommander? 15
LE DOCTEUR
Non, mais j'y penserai.
MOUSQUET
Ah! ce n'est plus la petite existence calme d'autrefois. * Il est certain que j'ai *quintuplé* mon chiffre d'affaires, et je suis loin de le déplorer. Mais il y a d'autres satisfactions que celle-là. Moi, mon cher docteur Parpalaid, j'aime mon métier; et j'aime à me sentir utile. * Simple question de tempérament. Mais voici le docteur. 20 25

---

souffrant, légèrement malade
une migraine, une violente douleur affectant un côté de la tête
prescrire, ordonner avec précision
le surmenage, le fait de se surmener
se surmener, se fatiguer trop
quintupler, rendre cinq fois plus grand

Scène V
LES MEMES, KNOCK
KNOCK
Messieurs. Bonjour, docteur Parpalaid. Je pensais à
5 vous. Vous avez fait bon voyage?
LE DOCTEUR
Excellent.
* KNOCK
* Il s'agit de l'échéance, n'est-ce pas?
10 LE DOCTEUR
C'est-à-dire que je profiterai de l'occasion ...
MOUSQUET
Je vous laisse, messieurs. (A Knock.) Je monte au 15.

Scène VI
15 LES MEMES, moins MOUSQUET
LE DOCTEUR
* Vous ne *nierez* pas que je vous ai cédé le poste, et le
poste valait quelque chose.
KNOCK
20 Oh! vous auriez pu rester. Nous nous serions à peine
gênés l'un l'autre. *
KNOCK (fouillant dans son portefeuille.)
* Je puis vous communiquer quelques-uns de mes gra-
phiques. * Nous partons de votre chiffre à vous, * que
25 j'ai fixé *approximativement* à 5.
LE DOCTEUR
Cinq consultations par semaine? Dites le double *,
mon cher confrère.

---

nier, le contraire de confirmer, d'affirmer
approximativement, environ; à peu près

KNOCK
Soit. Voici mes chiffres à moi. Bien entendu, je ne compte pas les consultations gratuites *. Fin octobre : 90. Fin novembre : 128. Fin décembre : * nous dépassons 150. D'ailleurs *, par elle-même la consultation ne m'intéresse qu'à demi : c'est un art un peu *rudimentaire* *.
LE DOCTEUR
Pardonnez-moi, mon cher confrère. * En une semaine, il a pu se trouver, dans le canton de Saint-Maurice, cent cinquante personnes qui se soient dérangées de chez elles pour venir faire queue, en payant, à la porte du médecin? * C'est inexplicable.
KNOCK
Passons à la *courbe* des traitements. Début d'octobre, c'est la situation que vous me laissiez : malades en traitement régulier *à domicile* : 0. * Fin octobre : 32. Fin novembre : 121. Fin décembre ... notre chiffre se tiendra entre 245 et 250. * Moi, je ne trouve pas cela énorme. N'oubliez pas que le canton comprend 2853 *foyers*, et là-dessus 1502 revenus réels qui dépassent 12000 francs.

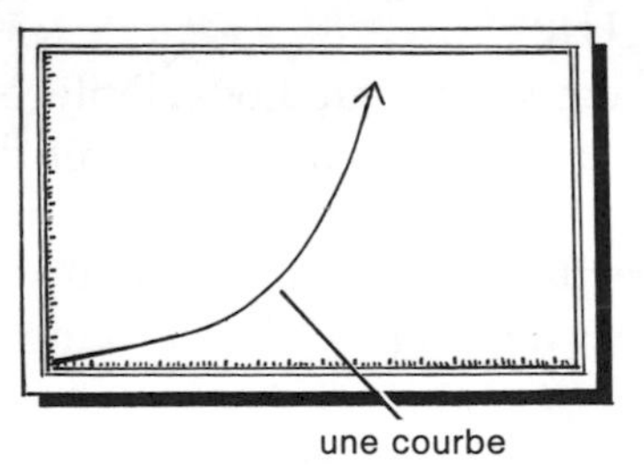

rudimentaire, élémentaire; insuffisant
à domicile, à la maison
le foyer, la famille

* LE DOCTEUR
Mais comment connaissez-vous les revenus de vos clients?
KNOCK (souriant.)
5 * C'est un très gros travail. Presque tout mon mois d'octobre y a passé. * Regardez ceci : c'est joli, n'est-ce pas? * C'est la carte de la *pénétration* médicale. Chaque point rouge indique l'*emplacement* d'un malade régulier. *
10 LE DOCTEUR
Même si je voulais vous cacher mon *ahurissement,* mon cher confrère, je n'y parviendrais pas. Je ne puis guère douter de vos résultats. * Vous êtes un homme étonnant. * Mais me permettez-vous de me poser une
15 question tout haut?
KNOCK
Je vous en prie.
LE DOCTEUR
Si je possédais votre méthode ... * Est-ce que je
20 n'éprouverais pas un scrupule? (Silence.) *
* KNOCK
Je voudrais vous comprendre mieux.
LE DOCTEUR
* Est-ce que, dans votre méthode, l'intérêt du malade
25 n'est pas un peu *subordonné à* l'intérêt du médecin?
KNOCK
Docteur Parpalaid, vous oubliez qu'il y a un intérêt supérieur à ces deux-là. * Celui de la médecine. C'est

---

la pénétration, ici : l'introduction (f.)
l'emplacement (m.), le lieu
l'ahurissement (m.), l'étonnement (m.)
subordonné à, dépendant de

le seul dont je *me préoccupe.* (Silence. Parpalaid médite.)
* KNOCK
Vous me donnez un canton, peuplé de quelques *milliers d'*individus neutres, *indéterminés.* Mon rôle, c'est de les *déterminer,* de les amener à l'existence médicale. Je les mets au lit, et je regarde ce qui va pouvoir en sortir. * Rien ne m'*agace* comme cet être *ni chair ni poisson* que vous appelez un homme bien portant.
LE DOCTEUR
Vous ne pouvez tout de même pas mettre tout un canton au lit!
KNOCK (tandis qu'il s'essuie les mains.)
Cela se discuterait. * La vérité, c'est que personne, pas même moi, n'osera aller jusqu'au bout et mettre toute une population au lit, pour voir, pour voir! Mais soit! Je vous accorderai qu'il faut des gens bien portants, ne serait-ce que pour soigner les autres, ou former, à l'arrière des malades en activité, une espèce de réserve. Ce que je n'aime pas, c'est que la santé prenne des airs de provocation. * Nous fermons les yeux sur un certain nombre de cas, nous laissons à un certain * nombre de gens leur masque de prospérité. *
LE DOCTEUR
Vous ne pensez qu'à la médecine ... Mais le reste? Ne craignez-vous pas qu'en *généralisant* l'*application* de

---

se préoccuper de, s'occuper de
un millier de, un nombre de mille ou d'environ mille
indéterminé, imprécis; vague
déterminer, marquer; préciser; définir
agacer, irriter
ni chair ni poisson, difficile à caractériser
généraliser, étendre à l'ensemble des individus
l'application (f.), l'utilisation (f.)

vos méthodes, on n'amène un certain ralentissement des autres activités sociales dont plusieurs sont, malgré tout, intéressantes?
KNOCK
5 Ça ne me regarde pas. Moi, je fais de la médecine.
* KNOCK
(Il * s'approche d'une fenêtre.) Regardez un peu ici, docteur Parpalaid *. * C'est un paysage rude, à peine humain, que vous contempliez. Aujourd'hui, je vous
10 le donne tout *imprégné de* médecine. * Dans deux cent cinquante de ces maisons * il y a deux cent cinquante * lits où un corps étendu *témoigne* que la vie a un sens, et grâce à moi un sens médical. La nuit, c'est encore plus beau, car il y a les lumières. Et presque toutes les
15 lumières sont à moi. Les non-malades dorment dans les *ténèbres*. Ils sont supprimés. Mais les malades ont gardé leur * lampe. Tout ce qui reste *en marge de* la médecine, la nuit m'en débarrasse. * Le canton fait place à une sorte de *firmament* dont je suis le *créateur*
20 *continuel*. Et je ne vous parle pas des cloches. Songez * qu'elles sont la voix de mes ordonnances. Songez que, dans quelques instants, il va sonner dix heures, que, pour tous mes malades, dix heures, c'est la deuxième prise de température * ...
25 LE DOCTEUR (lui saisissant le bras avec émotion.) Mon cher confrère, j'ai quelque chose à vous propo-

---

imprégné de, trempé de; baigné de
témoigner, montrer; exprimer
les ténèbres (f.), l'obscurité profonde
en marge de, sans se mêler à; sans s'intégrer à
le firmament, le ciel
le créateur, ici : le constructeur; l'architecte
continuel, constant

ser. * Un homme comme vous n'est pas à sa place dans un chef-lieu de canton. Il vous faut une grande ville.
* KNOCK
Vous avez une situation à m'indiquer? 5
LE DOCTEUR
La mienne. Je vous la donne. Je ne puis pas mieux vous prouver mon admiration.
KNOCK
Oui ... Et vous, qu'est-ce que vous deviendriez? 10
LE DOCTEUR
Moi? Je me contenterais de nouveau de Saint-Maurice. * Et je vais plus loin. Les quelques milliers de francs que vous me devez, je vous en fais cadeau.
KNOCK 15
Oui ... Au fond, vous n'êtes pas si bête qu'on veut bien le dire. * Vous êtes même * assez bon psychologue ... * Oh! je n'ai pas l'intention de *vieillir* ici. Mais de là à me jeter sur la première occasion venue!

Scène VII 20

LES MEMES, MOUSQUET
(Mousquet traverse discrètement la salle pour gagner la rue. Knock l'arrête.)
KNOCK
Approchez-vous, cher ami. Savez-vous ce que me pro- 25 pose le docteur Parpalaid? ... Un échange de postes. J'irais le remplacer à Lyon. Il reviendrait ici.
MOUSQUET
C'est une plaisanterie. * Mon cher docteur, la population de Saint-Maurice n'acceptera jamais. 30

---

vieillir, prendre de l'âge; se faire vieux

LE DOCTEUR
* Nous ne lui demandons pas son *avis*.
MOUSQUET
Elle vous le donnera. Je ne vous dis pas qu'elle fera
5 des barricades. Ce n'est pas la mode du pays et nous
manquons de *pavés*. Mais elle pourrait vous remettre
sur la route de Lyon. (Il aperçoit Mme Rémy.) D'ailleurs, vous allez en juger.
(Entre madame Rémy, portant des assiettes.)

10 **Scène VIII**
LES MEMES, MADAME REMY
MOUSQUET
Madame Rémy, apprenez une bonne nouvelle. Le
docteur Knock nous quitte et le docteur Parpalaid
15 revient.
(Elle lâche sa *pile* d'assiettes, mais les rattrape à
temps *).

---

un avis, une opinion

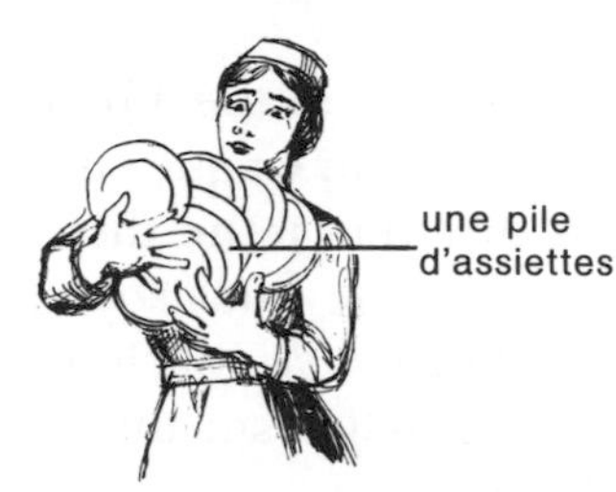

MADAME REMY

Ah! mais non! Ah! mais non! Moi, je vous dis que ça ne se fera pas. (A Knock.) Ou alors il faudra qu'ils vous enlèvent de nuit en *aéroplane,* parce que j'avertirai les gens et on ne vous laissera pas partir. On *crèvera* 5

---

crever, ici : faire éclater; percer

plutôt les pneus de votre voiture. Quant à vous, monsieur Parpalaid, si c'est pour ça que vous êtes venu, j'ai le regret de vous dire que je ne dispose plus d'une seule chambre, et quoique nous soyons le 4 janvier,
5 vous *serez dans l'obligation de* coucher dehors.
(Elle va mettre ses assiettes sur une table.)
LE DOCTEUR (très ému.)
Bien, bien! L'attitude de ces gens envers un homme qui leur a consacré vingt-cinq ans de sa vie est un
10 scandale. Puisqu'il n'y a plus de place à Saint-Maurice que pour le *charlatanisme*, je préfère gagner honnêtement mon pain à Lyon – honnêtement, et d'ailleurs largement. Si j'ai songé un instant à reprendre mon ancien poste, c'était, je l'avoue, à cause de la santé de
15 ma femme, qui ne s'habitue pas à l'air de la grande ville. Docteur Knock, nous réglerons nos affaires le plus tôt possible. Je repars ce soir.
KNOCK
* Mme Rémy, dans la surprise d'une nouvelle d'ail-
20 leurs inexacte, et dans la crainte où elle était de laisser tomber ses assiettes, n'a pu garder le contrôle de son *langage*. Ses paroles ont trahi ses pensées. Vous voyez: maintenant que sa vaisselle est *en sécurite*,, Mme Rémy a retrouvé sa *bienveillance* naturelle * .
25 MADAME REMY
Sûrement, M. Parpalaid a toujours été un très brave homme. Et il tenait sa place aussi bien qu'un autre tant que nous pouvions nous passer de médecin. Ce

---

être dans l'obligation (f.) *de*, être obligé de
le charlatanisme, le caractère d'un médecin trompeur
le langage, la parole
en sécurité, en lieu sûr
la bienveillance, la bonté

n'était *ennuyeux* que lorsqu'il y avait épidémie. Car vous ne me direz pas qu'un vrai médecin aurait laissé mourir tout ce monde au temps de la grippe espagnole.
LE DOCTEUR 5
Un vrai médecin! Quelles choses il faut s'entendre dire. Alors, vous croyez, madame Rémy, qu'un «vrai médecin» peut combattre une épidémie mondiale? * Attendez la prochaine, et vous verrez si le docteur Knock s'en tire mieux que moi. 10
* KNOCK
Ne nous égarons pas dans des *querelles* d'école. * (A Mme Rémy.)
Vous avez bien une chambre pour le docteur?
MADAME REMY 15
Je n'en ai pas. Vous savez bien que nous arrivons à peine à loger les malades. Si un malade se présentait, je réussirais peut-être à le caser, en faisant l'impossible parce que c'est mon devoir.
KNOCK 20
Mais si je vous disais que le docteur n'est pas en état de repartir dès cet après-midi, et que, médicalement parlant, un repos d'une journée est nécessaire.
MADAME REMY
Ah! ce serait autre chose ... Mais ... M. Parpalaid n'est 25 pas venu consulter?
* LE DOCTEUR
Qu'allez-vous chercher là? Je repars ce soir et voilà tout.

---

ennuyeux, fâcheux; désagréable
s'égarer, se perdre
une querelle, une dispute; un débat

KNOCK (le regardant.)
Mon cher confrère, je vous parle très sérieusement. Un repos de vingt-quatre heures vous est indispensable. *
5 MADAME REMY
Bien, bien, docteur. Je ne savais pas. M. Parpalaid aura un lit, vous pouvez être tranquille. Faudra-t-il prendre sa température?
KNOCK
10 Nous recauserons de cela tout à l'heure. (Mme Rémy se retire.)
MOUSQUET
Je vous laisse un instant, messieurs. (A Knock.) J'ai cassé une aiguille, et je vais en prendre une autre à la
15 pharmacie. (Il sort.)

Scène IX
KNOCK, PARPALAID
LE DOCTEUR
Dites donc, c'est une plaisanterie? (Petit silence.) Je
20 vous remercie, de toute façon. Ça ne m'amusait pas de recommencer ce soir même huit heures de voyage. (Petit silence.) C'est admirable, comme vous gardez votre sérieux. Tantôt, vous avez eu un air pour me dire ça ... (Il se lève.) J'avais beau savoir que c'était une
25 plaisanterie * ... Ah! c'est très fort.
KNOCK
Que voulez-vous? Cela se fait un peu malgré moi. Dès que je suis en présence de quelqu'un, je ne puis pas empêcher qu'un diagnostic *s'ébauche* en moi ... même

---

s'ébaucher, se préparer; se concevoir

si c'est parfaitement inutile. * *A ce point* que, depuis quelque temps, j'évite de me regarder dans la glace.
LE DOCTEUR
Mais ... un diagnostic ... que voulez-vous dire? un diagnostic de fantaisie, ou bien? ... 5
KNOCK
Comment, de fantaisie? Je vous dis que malgré moi quand je rencontre un visage, mon regard se jette, sans même que j'y pense, sur un tas de signes *imperceptibles* ..., la peau, * les *pupilles*, *l'*allure* du souffle, * 10
que sais-je encore, et mon appareil à construire des diagnostics fonctionne tout seul. Il faudra que je me surveille, car cela devient idiot.

LE DOCTEUR
Mais c'est que ... permettez ... J'insiste d'une manière un peu ridicule, mais j'ai mes raisons ... Quand vous 15
m'avez dit que j'avais besoin d'une journée de repos,

à ce point, tellement
imperceptible, qui échappe à l'attention
l'allure (f.), la vitesse

était-ce par simple jeu, ou bien? ... Encore une fois, si j'insiste, c'est que cela répond à certaines *préoccupations* que je puis avoir. Je ne suis pas sans avoir observé sur moi-même telle ou telle chose, depuis quelque temps ... et *j'aurais été très curieux de savoir si mes propres observations *coïncident avec* l'espèce de diagnostic *involontaire* dont vous parlez.

KNOCK

Mon cher confrère, laissons cela pour l'instant. (Sonnerie de cloches.) Dix heures sonnent. Il faut que je *fasse ma tournée*. Nous déjeunerons ensemble, si vous voulez bien me donner cette marque d'amitié. *Pour ce qui est de* votre état de santé, et des décisions qu'il *comporte* peut-être, c'est dans mon cabinet, cet après-midi, que nous en parlerons plus *à loisir*.

(Knock s'éloigne. Dix heures achèvent de sonner. Parpalaid médite, *affaissé* sur une chaise. Scipion, la bonne, Mme Rémy paraissent, porteurs d'instruments rituels, et *défilent, au sein de* la Lumière Médicale.)

RIDEAU

---

la préoccupation, l'inquiétude (f.)
coïncider avec, correspondre à; être conforme à
involontaire, qui échappe au contrôle de la volonté; machinal
faire une tournée, visiter (les malades) tour à tour
pour ce qui est de, quant à
comporter, permettre; impliquer; inclure en soi
à loisir, ici : à notre aise
affaissé, voir illustration, page 93
défiler, passer l'un derrière l'autre devant des spectateurs
au sein de, au plus profond de; au milieu de

REPONDEZ

Acte I

Questions

1. Pourquoi est-ce que le docteur Knock regarde la voiture du docteur Parpalaid avec surprise? (scène unique) (p. 7)
2. Pourquoi est-ce que le docteur Parpalaid n'est pas sincère quand il dit à Knock que c'est une aubaine pour celui-ci d'être son successeur? (scène unique) (p. 10)
3. Quel est le titre de la thèse que Knock venait de passer? (scène unique) (p. 17)
4. En quels termes est-ce que Knock compare la clientèle du docteur Parpalaid à la voiture de celui-ci? (scène unique) (p. 15)
5. De quoi est-ce que la méthode de Knock est sortie? (scène unique) (p. 20)
6. Nommez quelques-uns des «grands vices» dont parle Knock (scène unique) (p. 27)

Activités

7. Comparez le sens officiel de l'expression «à la Saint-Michel» au sens que lui donne Knock. (scène unique) (p. 14)

8. Knock est partisan de la «diminution de la mortalité». Mettez-vous à sa place et dites ce que dirait Knock lui-même. (scène unique) (p. 21)

9. Expliquez pourquoi le docteur Parpalaid n'avait pas profité des services du tambour de ville. (scène unique) (p. 24)

10. A un moment donné le docteur Knock dit que le docteur Parpalaid avait «gâché une situation magnifique» à Saint-Maurice. Inventez un dialogue entre les deux collègues à propos de cette «constatation». (scène unique) (p. 29)

Acte II

Questions

1. Qu'est-ce que le tambour de ville entend par l'expression «il ne trouvait pas»? (scène I, p. 33)
2. Pourquoi est-ce que le tambour parle d'une «idée de bienfaiteur»? (scène I, p. 35)
3. De quelle façon est-ce que Knock fait peur à l'instituteur? (scène II, p. 43)
4. Le pharmacien Mousquet dit que le docteur Parpalaid est un «excellent homme», et pourtant il se plaint de lui. Pourquoi? (scène III, p. 45)
5. Qu'est-ce que le docteur Knock entend par «le sabotage» de la part du docteur Parpalaid? (scène III, p. 46)
6. De quelle façon est-ce que Knock sait «gagner» la dame en noir? (scène IV, p. 50 etc.)
7. De quoi est-ce que la dame en violet se plaint tout le temps? (scène V, p. 56/57)
8. Qu'est-ce que Knock lui suggère en matière de traitement médical? (scène V, p. 60)

Activités

9. Expliquez pourquoi Knock est bien obligé de faire peur au tambour de ville. (scène II, p. 36 etc.)

10. Mettez-vous à la place de l'instituteur Bernard quand il ne sait pas à quoi le docteur Knock fait allusion. Dites ce qu'il pense. (scène II, p. 40)

11. Le caractère de la dame en violet diffère de celui de la dame en noir. A quels égards? (scène IV et V)

12. Comparez la façon donc Knock «mate» le premier gars à celle dont il vainc le deuxième. (scène VI)

Questions

1. Scipion ne se fait pas disputer. Montrez-le! (scène I, p. 66/67)
2. Mme Rémy parle de la «vie de forçat» de Knock. Qu'est-ce qu'elle veut dire par là? (scène III, p. 70)
3. Quel est l'«intérêt supérieur» dont parle Knock? (scène VI, p. 77)
4. Quelles sont les craintes «médicales» du docteur Parpalaid à l'égard de la «méthode Knock»? (scène VI, p. 77)
5. Qu'est-ce que le docteur Parpalaid propose au docteur Knock? (scène VI, p. 78)
6. Le docteur Parpalaid parle d'une «plaisanterie». Laquelle? (scène IX, p. 83)
7. A la fin le docteur Knock paraît être sa propre victime. Pourquoi? (scène IX, p. 84)

Activités

8. Quand M. Mousquet revoit le docteur Parpalaid, il parle d'un «revenant». Expliquez ce qu'il veut dire par là. (scène III, p. 72)
9. Mettez-vous à la place du docteur Knock et dites quelle est la philosophie qui vous inspire. (scène VI, p. 77)
10. Inventez un dialogue entre Mme Rémy et M. Mousquet sur un retour éventuel du docteur Parpalaid. (scène VIII, p. 81)
11. L'attitude du docteur Knock est dictée par l'égoïsme et l'intérêt. Donnez quelques exemples à travers tout le livre.